D0410490

LE SOLEIL SE LÈVE AU NORD

Du même auteur chez le même éditeur:

La Vengeance de l'orignal, roman, réédition 1983, 96 pages,
ISBN 0-920814-57-3

Le Trappeur du Kabi, roman, 1981, 136 pages,
ISBN 0-920814-40-9

Poison, roman, 1985, 176 pages, ISBN 0-920814-83-2

Il a été tiré de cet ouvrage 250 exemplaires, numérotés de 1 à 250,
pour les abonné/es de la Collection de ville.

Doric Germain

LE SOLEIL SE LÈVE AU NORD

roman

Prise de Parole
1991

Données de catalogage avant publication (Canada)
Germain, Doric, 1946-
Le soleil se lève au Nord

ISBN 2-89423-005-2 (broché)
ISBN 2-89423-006-0 (relié)

I. Titre.

PS 8563.E675S6 1991 C843'.54 C91-094998-0
PQ3919.2.G47S6 1991

En distribution au Québec
Diffusion Raffin
7870 rue Fleuricourt
St-Léonard (Qc) H1R 2L3
514-325-5553

La maison d'édition Prise de Parole se veut animatrice des arts littéraires chez les francophones de l'Ontario; elle se met donc au service des créateurs et créatrices littéraires franco-ontariens.

La maison d'édition bénéficie de subventions du Conseil des Arts de l'Ontario, du Conseil des Arts du Canada, du Secrétariat d'État et de la Ville de Sudbury.

Conception de la couverture : 50 Carleton et Associés

ISBN 2-89423-005-2 (broché)
ISBN 2-89423-006-0 (relié)

À Johanne, pour son aide et son encouragement
sans lesquels ce livre ne serait pas ce qu'il est.

I

Tout ici semblait étrange à Marc, depuis l'aspect du pays lui-même jusqu'à celui des habitants en passant par les animaux. De surprise en surprise, il en arrivait presque à éprouver plutôt un malaise que de l'étonnement devant cet univers si nouveau et qui ne faisait qu'accentuer son sentiment d'abandon et de solitude.

Dès l'abord et avant même d'être arrivé à destination, il avait été frappé de l'étendue du pays, de la monotonie du relief et du peu de densité de la population. Pas d'autoroutes ici. Seulement un chemin pavé à deux voies, rectiligne, peu fréquenté et apparemment sans fin. De chaque côté, la forêt. Non pas la belle forêt de chênes, d'érables et d'ormes à flancs de collines que ses excursions dans la vallée de la Gatineau lui avaient appris à connaître et qui, à ce temps-ci de l'année, devait être au pinacle de sa magnificence, mais une forêt de petites épinettes chétives, une forêt plate, truffée de marais supportant mal une végétation naine, une forêt sans cesse lézardée de ruisseaux, de rivières et de lacs. En un mot, une forêt monotone, hostile, voire dangereuse. Devant ce paysage affadi par un temps morose, son état d'âme ne pouvait devenir que plus dépressif encore.

Quant à la population, il en voyait peu de traces : quelques fermes isolées et, de loin en loin, un petit hameau dont les maisons avaient l'air d'une grappe de raisins accrochée à la route. Des maisons plutôt pauvres, avait-il songé, assez spacieuses certes, mais construites sans symétrie, sans pelouse, sans aménagement paysager, comme au hasard, au bout d'une allée en gravier que bordaient les herbes folles. On avait bien passé quelques agglomérations plus importantes telles Cochrane et Kapuskasing, mais elles l'avaient peu impressionné. Il avait plutôt retenu les consonances barbares des noms d'Opasatika, Temagami ou Matachewan que la configuration des villages. Que pouvait-il attendre d'endroits aussi visiblement sauvages? De sorte que quelques heures après l'avoir quittée, il regrettait déjà la ville, ses maisons bien ordonnées, ses gratte-ciel, ses routes encombrées et ses rues aux noms prononçables.

Hearst l'avait tout autant déçu avec ses allures de ville de westerns. Il l'avait d'ailleurs à peine aperçue à sa descente de l'autobus où l'attendait un inconnu taciturne à la peau brune et aux cheveux noirs qui s'était présenté dans un anglais boiteux comme le beau-frère de son oncle. Une déception de plus: Marc s'était attendu à voir son oncle lui-même, un visage connu au moins. Et voilà qu'il devait suivre cet étranger qui ne savait même pas parler comme tout le monde. Il eut la tentation d'acheter sur-le-champ son billet de retour. Puis il se ressaisit. Rendu là, aussi bien tenter l'expérience jusqu'au bout. Il récupéra ses valises et suivit l'homme sans ajouter un mot.

Le trajet dans la vieille camionnette délabrée jusque chez son oncle ne dura qu'une vingtaine de minutes mais quel ne fut pas son effarement quand son guide avait quitté la route pavée pour emprunter un chemin de gravier où leur passage soulevait un nuage de poussière. Au tournant, il avait pu lire sur une affiche: Constance Lake - Indian Reservation.

Quand, cinq minutes plus tard, le conducteur délaissa ce chemin pour suivre un sentier cahoteux, rempli d'ornières boueuses et tellement étroit que les branches frottaient les flancs de la camionnette, il fut suffoqué. Son oncle habitait-il donc au bout du monde?

Mais Marc n'eut pas le loisir de s'inquiéter longtemps. Déjà, au bout du sentier, la camionnette s'arrêtait devant une cabane en bois rond qui lui parut minuscule, enserrée qu'elle était par les épinettes. Il mit un moment à comprendre qu'il était arrivé. Son cœur se serra en pensant que cette cabane, c'était maintenant chez lui.

Dès qu'il ouvrit la portière, un concert de grognements et de jappements l'accueillit. Deux énormes chiens que, dans un tel contexte, il n'était pas loin de prendre pour des loups, s'avançaient, l'air menaçant.

«Couché Rex, Spot, couché.»

Les chiens se calmèrent mais restèrent sur place à une distance que Marc estima être un peu trop faible pour sa sécurité. Il garda les yeux rivés sur eux tout en prenant ses bagages et, sans la présence réconfortante de son compagnon, il ne se serait sûrement pas risqué à quitter la sécurité relative de la proximité du véhicule pour se rendre jusqu'à la porte de la cabane. Une grosse femme basanée lui ouvrit. Elle portait un tablier par-dessus sa robe rouge vif. Ses cheveux étaient relevés en chignon et elle souriait de toutes ses dents.

«C'est toi Marc Bérard? Ton oncle m'a parlé beaucoup de toi. Entre. Je suis contente que tu es venu.»

Son anglais était chantonnant, un peu nasillard et pas tout à fait correct. Elle avait un air jovial.

Malgré son désarroi, Marc se souvint qu'il fallait être poli et prit la main tendue.

«Bonjour. Mon oncle Édouard n'est pas là? Vous êtes...

— Rosa, sa femme... Ta tante. Non, il est parti guider des touristes. Demain il revient.»

Elle s'interrompit, l'air inquiète.

«Tu dois mourir de faim après un très long voyage. Prends une chaise. J'apporte pour toi quelque chose à manger.»

Déjà elle s'affairait autour du poêle. Marc s'assit. Pendant ce temps son guide, demeuré près de la porte, prononça une phrase aux intonations rauques que Marc ne comprit pas. Rosa releva la tête, dit quelques mots dans la même langue et l'homme sortit. Aussitôt, Marc s'en voulut de ne pas avoir remercié. Malgré son dépaysement, il n'avait pas le droit de se comporter comme un malappris.

Le jeune homme suivait des yeux la cuisinière pendant qu'elle mettait une bûche dans le poêle de fonte. Un fumet de viande lui parvenait aux narines. Pour meubler le silence, il hasarda :

«Qu'est-ce que c'est? Ça sent bon!

— Une outarde que Jim a tuée. Tu vas y goûter. Elle va être bientôt cuite.»

Elle ouvrit la porte du four.

«Commence à faire noir. Tu veux allumer la lampe?»

Marc chercha du regard mais ne vit rien qui pouvait ressembler à une lampe. Rien sur les meubles. Pas de commutateurs aux murs. Sa tante fit un geste vers le plafond. Il leva les yeux et aperçut une lampe à l'huile suspendue juste au-dessus de la table. Une pensée fulgurante lui traversa l'esprit : «Ils n'ont pas l'électricité!» Mais il se garda bien de tout commentaire et décrocha la lampe puis l'examina un moment.

«Comment ça s'allume?»

La femme eut l'air surprise. Puis elle se reprit à sourire et expliqua, exécutant les gestes en guise de démonstration :

«Tu dévisses. Tu pompes quelques coups. Puis tu revisses. Tu lèves ça par en haut. Ensuite tu ôtes la vitre. Tu prends une allumette... Voilà. Pas difficile.»

Marc suspendit la lampe au crochet. La clarté ainsi

obtenue était assez relative mais rassurante tout de même. Marc s'aperçut avec amusement que, comme la lampe se balançait encore sur son crochet et que la flamme bougeait, les ombres avaient l'air de danser. C'était bien la première fois qu'il voyait pareil spectacle, lui, l'habitué des ampoules et des néons.

L'observation des ombres, sans qu'il s'en rende compte, tourna à l'observation des lieux. Sa tante, qui apportait les plats, s'en aperçut.

«Une bonne maison, fit-elle. Très confortable.»

Marc comprit à quel point son évaluation des choses différait de celle de cette femme. À peine eût-il appelé cette cabane un camp... en se montrant généreux. Elle ne comprenait qu'une pièce mais à l'arrière, des rideaux de grosse toile glissant sur des cordes indiquaient qu'on pouvait, au besoin, aménager des chambres à coucher à peu près privées. Dans l'une de ces chambres de fortune se trouvait un lit double. Dans l'autre, un simple lit de camp qui lui était sans doute réservé. Marc grimaça en songeant que cette mince cloison, efficace contre les regards, n'était en aucune façon hermétique aux bruits.

L'autre partie de l'habitation, tout ouverte, contenait le poêle, la table, les chaises et quelques fauteuils recouverts de jetés. Elle servait à la fois de cuisine, de salle à dîner et de salon. Malgré ses recherches, Marc ne vit pas de salle de bain.

Le plancher était à nu, du simple contre-plaqué peint en gris. Les murs étaient constitués de grosses bûches verticales jointes l'une à l'autre par une lisière de contre-plaqué embouvetée. L'habitation n'avait pas de plafond et d'où il était assis, Marc pouvait voir les chevrons de bois rond écorcé sur lesquels étaient posées les planches du toit. À hauteur de plafond, deux grosses billes de bois traversaient le camp de part en part pour unir les murs latéraux. À l'une d'elles, on avait suspendu la lampe et à l'autre, les cordes autour desquelles une série d'anneaux permettaient aux toiles des chambres de coulisser. Aux murs, peu de décorations. Tout juste quelques outils, des pièges, deux fusils, divers articles d'usage domestique et, près du poêle, des casseroles, des ustensiles et des tablettes chargées de pots et de boîtes de conserves.

Pour faire plaisir à la femme qu'il hésitait encore à appeler «ma tante», il crut bon de dire:

«C'est bien ici. J'aime ça!»

Elle souriait tout en le servant.

«Pour l'instant, c'est de l'outarde, du canard, de la perdrix. Dans quelques semaines, nous aurons de l'orignal. Cet hiver, du castor en quantité. Pour l'instant, c'est de l'outarde.»

Elle parlait avec fierté comme si elle étalait des richesses escomptées. Au mot «castor», Marc sursauta. Il ne savait pas que cela se mangeait. Il demanda:

«C'est bon du castor?»

Elle le regarda, surprise de tant d'ignorance, comme un chef cuisinier à qui l'on demanderait si le homard est comestible. Elle se passa la langue sur les lèvres.

«Excellent. Un peu plus gras que le rat musqué. Un peu moins que l'ours.»

Marc avait des doutes. Mais il dut avouer que l'outarde en tout cas, faisait honneur à la promesse que son arôme avait suscitée. Il vida son assiette et en redemanda, ce qui parut flatter la cuisinière.

«J'aime ça un homme qui mange bien.»

À son tour, elle avait trouvé une corde sensible. À dix-sept ans, on aime toujours se faire appeler un homme et, fils unique, Marc avait plutôt toujours été traité en bébé. Il eut l'intuition que peut-être, malgré tout, il pourrait se plaire ici.

Après souper, il fit un effort pour se rendre utile, aida à laver puis ranger la vaisselle. Il offrit d'aller chercher du bois de chauffage qu'il se faisait fort de trouver malgré l'obscurité, ayant remarqué l'emplacement de la pile. Ce n'était pas pure générosité de sa part: sa vessie allait éclater et comme il n'y avait pas de salle de toilette à l'intérieur, il devait sortir.

Malheureusement, il avait oublié les chiens et faillit faire une syncope quand ils l'accueillirent sur le seuil en grognant. Il esquissa un mouvement de recul. Il songea alors que, s'il capitulait maintenant, ces maudits chiens le garderaient prisonnier à l'intérieur. D'ailleurs, il n'avait pas le choix: il devait se soulager. Une seule solution: leur montrer qui était le maître. Domptant sa peur, il avança d'un pas, tout en cherchant un bâton dans l'obscurité. Puis, d'une voix mal assurée qu'il s'efforçait de rendre terrible, il imita ce qu'il avait vu faire en pareille circonstance.

«Couché, Rex, Spot. Couché!»

Les chiens repartirent au petit trot et Marc sentit sa peur se résorber comme un ressac. Il se rendit à la pile, se soulagea d'abord puis emplit de bûches l'angle de son bras gauche et en saisit une dans sa main droite pour servir de gourdin. Au retour, les chiens rôdaient encore près de la porte, à demi matés. L'un d'eux grogna à son passage. Marc leva le gourdin et le grognement mourut instantanément dans la gorge de l'animal. Le jeune homme entra, se souriant à lui-même. Mais il ne savait pas à quel point cette petite victoire sur lui-même et sur son entourage était significative. Dans son adaptation à ce nouveau monde, il lui faudrait faire appel à toutes ses réserves de détermination et de courage. Sa merveilleuse faculté d'imitation lui serait d'un grand secours.

Vers neuf heures trente, on se retira pour se coucher. Tante Rosa tira les rideaux et, pendant qu'elle soufflait la lampe, Marc s'étendit sur le lit de camp qui lui avait été assigné. En un clin d'œil, tout fut plongé dans une obscurité totale, envahissante et palpable. En ville, il y a toujours une source de lumière, un reflet quelconque. Mais ici, rien. Marc en fut presque effrayé.

Il entendit le lit voisin craquer et cette présence le rassura. Pendant longtemps, il tarda à dormir. Il pensa aux amis qu'il avait quittés, à la ville, à ses parents. Depuis quelques mois, tout s'était précipité dans sa vie. En juin, sa mère était morte à la suite d'une longue maladie. Ce contact avec la souffrance et la mort l'avait blessé au plus profond de lui-même. Il avait cherché à se rapprocher de son père. Mais celui-ci, déjà porté au découragement, s'était complètement effondré. Les médecins avaient diagnostiqué une dépression et l'avaient hospitalisé. Ils s'étaient montrés peu optimistes quant au pronostic. Marc s'était retrouvé seul. Pendant deux mois, il avait vécu comme dans un mauvais rêve. Il dormait mal, n'avait de goût pour rien et devenait de plus en plus solitaire. Il avait goûté à la drogue mais n'avait trouvé qu'un soulagement passager suivi d'un réveil brutal à la réalité. Il avait l'impression de sombrer dans le découragement, que la vie n'avait plus rien à lui offrir. D'instinct, il savait que seul un immense effort le sauverait. Il eut l'idée de partir, de s'évader. Mais où aller?

C'est alors qu'il avait pensé à cet oncle, le frère de sa mère et son seul parent, qu'il connaissait fort peu d'ailleurs, ne l'ayant vu qu'à quelques reprises quand il était encore tout petit. Il se souvenait vaguement d'un homme grand et large d'épaules, à l'abondante chevelure rousse. Tout ce qu'il savait de lui, c'est qu'il vivait quelque part dans le nord de l'Ontario et qu'il avait épousé une autochtone, ce qui avait accentué la rupture entre lui et sa sœur, citadine jusqu'au bout des ongles. Elle ne se serait certainement pas abaissée à visiter celle qu'elle appelait «la sauvagesse».

Le fils n'avait pas les scrupules de la mère. Il avait réussi à retrouver l'adresse du mystérieux parent et à lui faire parvenir une lettre expliquant sa situation précaire. La réponse n'avait pas tardé, jetant une lueur d'espoir dans le cœur de l'orphelin.

«...Viens nous trouver. Ma femme et moi, nous serons heureux de t'accueillir.»

Marc avait hésité un moment puis il avait décidé de faire le grand saut dans l'inconnu. Il avait vendu les meubles et résilié le bail de l'appartement. Il s'était rendu une dernière fois à l'hôpital, où son père ne l'avait même pas reconnu et il était parti, le cœur lourd d'inquiétude.

En y songeant, le pauvre enfant laissa couler quelques larmes, bien protégé par l'obscurité et la toile qui entourait son lit. Puis sa pensée se tourna vers l'avenir et l'angoisse lui noua la gorge. Quelle serait sa vie dans ce recoin perdu de forêt? Réussirait-il à s'y faire?

Il essaya de s'autosuggestionner à l'optimisme. Après tout, il était jeune, vigoureux et en excellente santé. Sa tante avait paru gentille. Son oncle serait bientôt là. Il songea aux chiens qui lui avaient paru si féroces et qu'il avait pourtant réussi à apaiser en quelques mots.

«Je m'adapterai, pensa-t-il. Ce n'est qu'un effort à faire.»

Sa résolution prise, il réussit à s'endormir.

II

Marc s'éveilla le lendemain à l'odeur alléchante du café qui bout. Le repos et la clarté du jour avaient tout à fait chassé ses frayeurs de la veille et il se sentait d'attaque pour affronter sa nouvelle vie. Il sauta hors du lit.

«Bonjour ma tante.»

Il commençait à s'habituer à ce vocable, nouveau pour lui. Elle lui sourit en lui tendant une tasse de café.

«Jim et Éric sont venus voir si tu voulais aller à la pêche. Tu dormais trop bien. Je t'ai laissé dormir.»

Il consulta sa montre et constata qu'il n'était que huit heures quinze. Décidément, on se levait tôt dans ce pays si sa tante considérait qu'il avait fait la grasse matinée.

«Qui sont Jim et Éric?

— Les enfants de ma sœur. C'est leur père qui t'a emmené de Hearst hier. Ils vivent sur la réserve.»

Marc pensa tout à coup à l'affiche qu'il avait vue la veille.

«Nous sommes sur une réserve? demanda-t-il, curieux.

— Non. Ton oncle n'est pas Indien. Moi, en mariant un Blanc, j'ai perdu mon statut. On s'est installés juste à côté de la réserve. Pour être proches de ma famille.

— J'aurais bien aimé aller à la pêche», dit-il en poussant un soupir. La femme se mit à rire.

«Tu peux y aller. Ils t'attendent. Mais mange avant. La journée peut être longue.»

Puis elle ajouta comme en post-scriptum:

«Ton oncle arrivera pas avant le soir. T'as le temps.»

Elle déposa deux tranches de pain sur le rond du poêle, les laissa un instant puis les retourna à l'aide d'une spatule. Puis elle prit un pot de confitures et, saisissant le pain grillé entre le pouce et l'index, posa le tout devant Marc, directement sur le bois nu de la table en disant:

«Les fraises étaient belles cette année.»

Marc convint qu'il n'avait jamais rien mangé d'aussi délicieux et que cela compensait largement le manque de décorum.

Comme il s'apprêtait à sortir, sa tante protesta:

«Pas comme ça. Mets des bottes de caoutchouc. Prends un manteau et une casquette. Il commence à faire frais.»

Il s'exécuta. Il allait bientôt apprendre que dans ce pays, les espadrilles, c'est bon pour le soir à la maison.

Il sortit et l'air frais du matin le frappa au visage. Il était pur et pourtant chargé de ces mille odeurs qu'on retrouve toujours en forêt, celles du sapin, des feuilles mortes, du bois en décomposition et de la terre humide. Aux endroits où le soleil n'avait pas encore pénétré, une petite gelée blanche s'agrippait encore au feuillage des fougères. Sur son passage, il reconnut des trembles dont les feuilles jaunissaient déjà, des bouleaux, quelques sapins mais surtout des épinettes. Vues de près, elles avaient l'air plus grandes et plus touffues que celles qu'il avait aperçues de l'autobus. De partout montaient des chants d'oiseaux qu'il n'aurait pu nommer mais il reconnut tout de même le toc toc du pic-bois et le jacassement des pies. Des moineaux, des étourneaux et des geais voletaient çà et là. Dans les arbres, les écureuils et les suisses se livraient à leurs éternelles acrobaties.

Marc marchait d'un pas allègre et respirait avec délice

les effluves de la forêt. Il tressaillit pourtant quand une perdrix se mit à battre bruyamment des ailes dans un fourré à dix pas de lui. Ce décor était encore trop nouveau pour qu'il lui fasse entièrement confiance.

Suivant les indications de sa tante, il ne tarda pas à parvenir à la réserve et à y repérer la maison.

«La quatrième maison sur la droite. Ça doit être celle-là.»

De toute évidence on l'attendait parce qu'il n'eut même pas à frapper que deux garçons en sortaient. Marc reconnut tout de suite des Amérindiens : cheveux noirs et raides, yeux sombres et peau brune. Ils étaient vêtus de chemises à carreaux et de pantalons de lainage et portaient des casquettes à visière et des bottes de caoutchouc. Le plus vieux répondait au nom de Jim et pouvait avoir dix-huit ans. Rien qu'à le regarder, Marc devina combien il devait être costaud. Le deuxième au contraire était maigre et élancé comme un gamin qui a grandi trop vite. Marc lui donna treize ou quatorze ans et sut bientôt qu'il s'appelait Éric. Tous deux souriaient abondamment.

«Ça doit être un trait de famille, songea Marc. Tout le monde sourit toujours ici.»

Les présentations faites, ils rapaillèrent l'équipement : un sac à dos en grosse toile, deux avirons, une carabine et un fusil... Marc s'étonna, désignant les armes à feu :

«Je pensais qu'on allait à la pêche?»

Jim se mit à rire :

«Si, si. Mais faut être prêts à tout. On sait jamais. On peut voir un orignal, une perdrix ou des outardes. J'apporte ma carabine et Éric son .410.

— Mais les cannes à pêche?

— Dans mon sac.»

Marc remarqua à nouveau cette intonation chantante des Amérindiens, cet accent nasillard et ces phrases courtes où la grammaire est réduite à sa plus simple expression. Il s'avisa que, pour eux comme pour lui, l'anglais était une langue seconde qui emprunte certains éléments à la première.

Résolu à ne plus s'étonner de rien, il demanda cependant:

«La chasse est déjà ouverte? C'est tôt le 12 septembre.

— La chasse est toujours ouverte. Toute l'année. Enfin, pour nous, elle l'est toujours.

— Ah bon, je ne savais pas.»

Une petite voix suppliante lui fit retourner la tête.

«Moi aussi je veux y aller. S'il vous plaît?»

Marc aperçut une fille de quinze ou seize ans sortie sans bruit derrière lui. Elle avait les cheveux nattés et portait une robe à motifs fleuris. Il la trouva jolie avec ses cheveux noirs et sa peau cuivrée. Mais il se sentit gêné devant l'insistance de son regard sur lui. La curiosité évidente avec laquelle elle le dévisageait le mettait mal à l'aise.

«Ah non, Mona! Toi, tu restes ici. Pas de place dans le canot.»

Elle s'assombrit et rentra en se traînant les pieds, la lèvre inférieure avancée en une moue caractéristique. Éric mit le point final.

«Qu'elle fasse la baboune tant qu'elle voudra. Les filles, c'est rien qu'un embarras.»

Ils se mirent en route. Ils traversèrent d'abord la réserve, une agglomération de quelque cinquante maisons d'aspect plutôt minable — il y avait même quelques tentes que Marc observa avec intérêt — échelonnées le long du chemin principal. Ensuite, ils suivirent un sentier sur une distance de deux kilomètres. Ses compagnons allaient d'un bon pas et, bien qu'il n'eût rien à porter, Marc avait du mal à les suivre. Mais pour rien au monde il ne l'aurait avoué. Aussi fut-il content d'arriver au lac, une assez vaste étendue d'eau qui scintillait doucement sous la brise, troublée seulement par les ébats de deux huards qui faisaient parfois entendre leur cri strident.

Sans perdre un instant, ses compagnons tirèrent un canot des broussailles et après l'avoir remis à l'endroit, le poussèrent à l'eau. Puis le plus jeune prit place à l'avant, les jambes repliées sous lui, assis sur ses talons. Jim fit signe à Marc qui l'imita et vint d'un pas mal assuré s'installer au milieu de l'embarcation. D'une longue enjambée, Jim les rejoignit, poussant du même coup le canot vers le large. Empoignant un aviron, Éric fit tourner l'embarcation sur elle-même et lui imprima un élan qui l'éloignait du rivage.

Le jeune citadin n'osait bouger de peur de faire chavirer le frêle esquif dont il sentait l'équilibre précaire. Ses compagnons par contre plaisantaient et gesticulaient tout à leur aise. Jim défit la boucle de son sac et en sortit des lignes enroulées autour de morceaux de bois. À l'extrémité de chacune, une simple cuiller blanche et rouge garnie d'un fort hameçon.

«On pêche à la traîne», fit-il.

Marc comprit pourquoi il n'avait pas vu de cannes à pêche. Les coudes serrés au corps, il attrapa le rouleau qu'on lui tendait et il se mit à dérouler le fil, laissant filer la cuiller dans l'eau.

«Pas trop long, conseilla Jim. Le lac est pas profond.

— Quelle sorte de poissons est-ce qu'on peut prendre ici?

— Du brochet. Parfois un doré, surtout le printemps. À ce temps-ci, c'est plutôt rare.»

Éric continuait d'avironner doucement, la pale de son aviron tournée à un angle de quarante-cinq degrés par rapport à sa direction, ce qui lui permettait d'aller droit tout en ne pagayant que d'un seul côté.

Marc sentit sa ligne se raidir tout à coup, si brusquement qu'il en échappa le rouleau. Le geste qu'il posa pour le rattraper fit tanguer l'embarcation.

«Hé doucement! s'écria Éric en secouant la tête. Trop froid pour se baigner.

— Ça mord je vous dis, rétorqua Marc. Regardez comme ça tire!»

Les deux autres observaient ses gestes, l'air incrédules, et prodiguaient des conseils.

«Enroule lentement. Laisse pas la ficelle molle ou bien y va se décrocher. Continue d'enrouler. Si tu laisses la ficelle au fond du canot, elle va se mêler.»

C'étaient beaucoup de directives à suivre en même temps et Marc avait fort à faire. Cependant comme Éric avait cessé d'avironner et que le canot s'immobilisait, il lui sembla que la tension sur sa ligne se faisait moins forte. Il continua à rentrer la ficelle, tout comme Jim d'ailleurs. Bientôt sa prise fit surface: une grosse branche noire et visqueuse. Il avait l'air si déçu que ses deux compagnons ne purent s'empêcher d'éclater de rire.

«J'ai hâte de voir ce que ça va donner dans une poêle à frire», fit Jim.

Marc prit le parti de les imiter et la pêche reprit. Dix minutes plus tard, Jim annonça qu'il avait une prise, une vraie celle-là, ajouta-t-il en clignant de l'œil.

«Tiens, fit-il surpris. C'est un doré.

— Oui? Tu l'as vu? demanda Marc.

— Non mais je sais.»

C'est ainsi qu'il apprit que les pêcheurs expérimentés peuvent non seulement distinguer les secousses d'un poisson de la tension d'un objet inerte mais encore savoir de quelle sorte de poisson il s'agit.

«Le doré tire par petits coups, expliqua Jim. Le brochet lui, se lance dans toutes les directions. La truite tire franc tant qu'elle n'a pas vu le canot. Quand elle arrive à la surface, elle donne un coup de tous les diables.»

Tout en parlant, il enroulait sa ligne sans hâte mais en gardant la tension constante. C'était bel et bien un doré.

Marc se demanda comment on le hisserait à bord vu qu'on n'avait pas d'épuisette. Mais son compagnon connaissait une autre technique. Tenant sa ficelle d'une main, il tendit l'autre par-dessus bord et, lui enfonçant le pouce et le majeur dans les yeux, il tira le poisson frétillant hors de l'eau. D'un geste désinvolte, il le décrocha et le laissa tomber au fond du canot. Marc ne put résister à l'envie de le toucher.

«Attention, ça...

— Ouch... pique», termina Marc.

L'avertissement était venu trop tard. Jim lui montra comment on peut impunément flatter le dos d'un doré de l'avant vers l'arrière mais que, dans l'autre sens, sa nageoire dorsale hérissée de piquants se redresse et peut vous blesser.

Jim remplaça son frère à l'aviron sans changer de place. Comme les deux bouts du canot étaient identiques, chacun n'eut qu'à pivoter et le canot pointa dans le sens contraire.

Les garçons prirent encore quelques poissons, des brochets cette fois. Marc s'amusait bien et commençait à se sentir à l'aise mais il avait les jambes engourdies sous lui et devait souvent se mettre à genoux pour rétablir la circulation. Il s'avisa que c'était son tour d'avironner. Il avait bien observé et il était certain de pouvoir imiter le mouvement.

Ce n'était pas si simple. En dépit de ses efforts, l'embarcation tournait en rond, ce qui avait pour effet de laisser les cuillers presque immobiles. Alors elles coulaient à pic et raclaient le fond. Jim et Éric repêchèrent ainsi plusieurs branches et ramilles avant que le nouveau barreur n'apprenne à aller droit.

«Longe la rive, conseilla Éric. Reste à deux ou trois mètres des joncs. C'est là que le brochet se tient.

— Facile à dire», songea Marc.

D'abord il se dirigea trop au large et vit à la mine

ennuyée de ses copains qu'il n'allait pas où il fallait. Puis, en voulant trop se rapprocher, il entra carrément dans la lisière de plantes aquatiques et cette fois, on fit bonne récolte de nénuphars et de joncs. Mais bientôt, il réussit à maintenir le canot à peu près à la bonne distance du rivage et, en dépit de quelques zigzags, à garder son cap. Vers midi, Éric déclara qu'il avait faim. Marc aussi, mais il songea avec dépit qu'il n'avait rien apporté à manger.

«On rentre à la réserve?»

Jim fit un signe de dénégation.

«Non. On accoste.»

Sans perdre de temps, Éric réunit quelques brindilles, de l'écorce de bouleau et du bois mort. Il craqua une allumette. Pendant ce temps, Jim vidait deux brochets, leur coupait la tête, la queue et les nageoires. Puis il les enveloppa dans de grandes feuilles vertes qu'il avait au préalable bien trempées dans l'eau du lac. Cela fait, il s'assit sur un tronc et attendit. Marc, qui venait de comprendre, s'impatienta :

«Tu les fais pas cuire?

— J'attends que le feu baisse. C'est plutôt de la braise, pas de la flamme qu'il me faut.»

Quand le brasier se mit à rougeoyer, il y déposa les poissons et revint s'asseoir. Cinq minutes plus tard, il les retourna à l'aide d'un bâton. Puis il sortit de son sac une salière, des gobelets d'étain et un petit seau de fer blanc tout noirci qu'il emplit d'eau et vint suspendre au feu à une branche fichée en terre. Il attendit que l'eau se mette à bouillir, retira le contenant du feu et y jeta deux sachets de thé.

Marc regarda les poissons avec dégoût: ils ressemblaient à des bûches calcinées. Éric les fit rouler hors du brasier du bout de sa botte et commença à les peler. Marc s'aperçut que les feuilles — ou ce qu'il en restait — et la peau des poissons s'enlevaient facilement et que la chair, blanche et cuite à point, se détachait d'elle-même de la colonne vertébrale à laquelle les arêtes restaient fixées. Ils mangèrent avec appétit tout en buvant du thé noir.

«C'est bon», complimenta Marc en portant à la hâte à sa bouche le morceau qui lui brûlait les doigts.

«C'est toujours bon quand on a faim», vint la réponse.

Il songea que le dîner n'avait coûté que deux sachets de thé et quelques pincées de sel.

Depuis le matin, une question lui brûlait les lèvres. Il se risqua à la poser.

«Vous allez jamais à l'école?

— Non, depuis deux ans», fit Jim fièrement.

Éric prit un air coupable.

«Moi, j'y vas encore... des fois. Surtout de décembre à mars. Mais aujourd'hui, il fait trop beau.»

Marc ne lui donna pas entièrement tort. C'était vrai qu'il faisait beau. Derrière eux, la forêt bruissait doucement et dans les cimes des arbres, les oiseaux et les écureuils s'en donnaient à cœur joie. Devant, le lac miroitait. Des canards, à bonne distance, s'ébattaient en caquetant. À l'abri du vent léger et en plein soleil, Marc se sentait envahi par une douce somnolence. Il regretta de devoir bientôt s'accroupir à nouveau dans le canot. Quelle ne fut pas sa surprise d'entendre Jim dire: «Beau temps pour faire un somme.» Il n'allait certainement pas s'y opposer. Il s'étendit de tout son long sur la mousse et s'endormit en moins de deux minutes.

Quand il ouvrit les yeux, il s'aperçut au déplacement du soleil qu'il avait dormi longtemps. Ses deux compagnons étaient assis et semblaient l'attendre. Tout penaud, il se leva en vitesse.

«Vous auriez dû me réveiller.»

Jim haussa les épaules.

«Y'a pas longtemps qu'on est debout. De toute manière, le poisson mord pas beaucoup au milieu de la journée.»

Éric renchérit:

«Dans quelques heures, les outardes vont atterrir pour la nuit.»

Marc entrevit à quel point ses nouveaux amis modelaient le rythme de leur vie sur celui de la nature: ils allaient à l'école quand la saison n'était propice à rien, mangeaient quand ils avaient pris du poisson et dormaient aux heures où la pêche rendait mal. Plus tard, il allait apprendre qu'ils pouvaient aussi passer des nuits blanches pour profiter d'un frai ou chasser jusqu'aux limites de la clarté quand ils tenaient une piste prometteuse, quitte à rentrer en pleine obscurité. Pour lui, c'était une vraie révélation. Il était habitué aux horaires inflexibles des écoles, des magasins, des lieux de travail et des autobus et trouvait en même temps délicieuse et sacrilège l'idée qu'on puisse s'astreindre à un autre calendrier et à une autre horloge que ceux qui régissent les activités d'une grande ville.

Les garçons recommencèrent à pêcher mais bientôt Marc dut se rendre à l'évidence: ses deux compagnons s'intéressaient plus à ce qui se passait dans le ciel qu'à ce qui rôdait au bout des lignes. Deux fois depuis le dîner, on avait vu des formations d'outardes voler vers le sud avec des cris plaintifs. Cependant elles volaient haut et Jim, après avoir consulté le soleil, avait décrété: «Trop tôt».

Pourtant le soleil baissait et, quand on vit poindre une troisième formation, les deux autochtones ne la quittèrent plus des yeux. Le canot immobilisé et les lignes rentrées, ils étudiaient le vol des grands oiseaux. Les outardes descendaient mais à la vue du canot et de ses occupants, elles redoublèrent leur cacassement, reprirent de l'altitude et passèrent outre.

«Cachons-nous», suggéra Jim, manifestement le leader du groupe.

Ils tirèrent le canot sur la rive et le couvrirent de branches. Puis ils se dissimulèrent dans les broussailles.

«Elles peuvent revenir, dit Éric à l'intention du jeune Blanc. Celles-là ou peut-être d'autres.»

Le fusil était paré. Une heure passa encore. Marc perdait patience. Le soleil se couchait et la fraîche du soir conjuguée à son immobilité le faisait frissonner. Ses deux compagnons ne bougeaient pas.

Tout à coup, Jim fit signe d'écouter et Marc perçut le concert lointain d'un vol d'outardes. Puis il les vit. Elles devaient être une centaine au moins à suivre, en deux files inégales, l'oiseau de tête. Elles volaient bas et décrivirent un demi-cercle au-dessus du lac, mais sans passer à portée de fusil et sans se poser. Puis elles s'éloignèrent dans la direction d'où elles étaient venues. Marc était déçu. Il chuchota:

«Elles nous ont vus?»

Pour toute réponse, Jim lui fit signe de se taire et d'écouter. Effectivement, on entendait toujours les cris rauques. Jim sourit et regarda son frère.

«Allons-y. Se tournant vers le jeune Blanc, il ajouta: Elles ont atterri sur une mare près des leurres.

— Des leurres? Qu'est-ce que c'est?

— Des imitations d'outardes en bois. Nous les laissons sur une mare pour attirer les vraies.»

Il fallut retraverser le lac puis marcher pendant dix minutes en plein bois. Marc se demanda comment son ami se dirigeait sans repères. Mais, aux cris des outardes, il savait qu'on s'en approchait. Les deux jeunes chasseurs marchaient sans bruit et le citadin s'attira un regard de reproche quand il fit craquer une branche morte. Ils couvrirent les derniers mètres en rampant à la queue leu leu dans les grandes herbes. En relevant un peu la tête,

Marc put voir le cou de la sentinelle s'étirer vers lui. Les outardes étaient silencieuses tout à coup. L'occasion semblait propice mais ses deux compagnons attendaient toujours. Le soleil était couché et il commençait à faire vraiment froid, surtout au contact du sol. Marc avait hâte d'en finir. Il vit alors Jim se relever brusquement et tirer d'un seul geste continu. Dans la pénombre du crépuscule, c'était comme un feu d'artifice au bout du canon. Les outardes restèrent un moment pétrifiées puis se mirent à battre des ailes et s'envolèrent en courant sur l'eau et en criant à qui mieux mieux. Jim tirait sans interruption sauf pour recharger. Quand il s'arrêta enfin, il exultait.

«J'en ai au moins une, peut-être deux.»

Soulagé par la fin de cet infernal tapage, Marc demanda:

«Pourquoi est-ce que t'as continué à tirer après qu'elles ont levé?

— Quand elles lèvent, elles mettent du temps à prendre de la vitesse. Elles sont pesantes, tu sais. Les ailes ouvertes, elles font une belle cible. C'est encore plus facile que de les tirer sur l'eau.»

Marc n'allait pas tarder à constater qu'elles étaient lourdes. Ce n'était pas une, ni même deux que Jim avait abattues, mais trois!

Il s'agissait d'abord de les attraper. L'une d'elle qui n'avait que l'aile cassée nageait en tous sens. Jim l'acheva et la brise eut tôt fait de la pousser vers la terre.

Il faisait complètement nuit quand les nouveaux amis prirent le chemin du retour, les oiseaux sur l'épaule, le sac sur le dos, les avirons et les armes à bout de bras. Marc estima que l'oiseau qu'il tenait par les pattes et dont la tête lui battait les mollets, devait peser au moins huit kilos.

Il n'aurait certainement pas pu retrouver son chemin dans l'obscurité grandissante mais Jim marchait d'un bon pas et sans la moindre hésitation. Marc suivait sur ses talons de peur de se perdre et Éric fermait la marche.

Il se sépara de ses compagnons à la réserve et s'éloigna avec appréhension, l'oiseau sur l'épaule.

«Apportes-en une à tante Rosa», avait dit Jim.

Marc n'avait pas osé demander qu'on le raccompagne mais il avait peur. Peur surtout de ne pas pouvoir suivre le sentier dans la nuit et de se perdre. Peur aussi de cette forêt si proche et des animaux qu'elle pouvait recéler. Il marcha vite en s'efforçant de penser à autre chose.

Il arriva sans encombre et entendit avec soulagement les aboiements des chiens qui venaient à sa rencontre. Il se rendit compte qu'il ne les craignait plus du tout. Il se cogna presque contre un véhicule stationné devant la porte. Son oncle était rentré.

Marc le reconnut sans peine. Un grand et solide gaillard à la chevelure flamboyante, la chemise largement ouverte sur une poitrine velue, qui l'accueillit la main tendue et le sourire aux lèvres.

«Content de te voir, mon gars.»

Puis apercevant l'outarde, il plissa les yeux dans une expression mi-admiratrice, mi-amusée.

«T'as pas perdu de temps!»

Marc raconta la chasse tout en passant à table où le souper les attendai : de la perdrix aux choux cette fois. Le jeune homme mangea comme un ogre, encouragé par sa tante qui remplissait son assiette aussi vite qu'il la vidait. Après souper, son oncle l'invita à sortir avec lui.

«Viens, on va aller plumer cet oiseau-là.»

Ce qu'ils firent à la lumière d'un fanal. Marc réprima un haut-le-cœur devant le sang et l'odeur forte de l'oiseau encore chaud. Détournant les yeux pour ne pas voir les chiens se jeter voracement sur les viscères de l'outarde, il s'épanchait. Soulagé de trouver un parent, heureux de parler sa langue maternelle et anxieux de connaître la vie qui lui était destinée, il se laissa aller comme un flot trop longtemps retenu à l'ouverture du barrage. Il raconta la mort de sa mère, la dépression de son père et sa propre angoisse devant la solitude. L'outarde était depuis longtemps vidée qu'il parlait toujours. Marc s'informait de l'école. Son oncle se fit évasif.

«Oui c'est possible. Y'a un autobus de la réserve qui va en ville tous les jours pour emmener les élèves.»

Puis il parla de son travail.

«Demain, je pars vers le nord avec des touristes. La chasse à l'orignal ouvre dans ce coin-là. Nous serons partis cinq jours. Ensuite ce sera un autre groupe. Je fais ça jusqu'aux neiges. Après je commence à trapper.

«Toi, tu peux faire comme tu veux. À ton âge, t'es assez grand pour décider. Reste avec nous autres tant que tu voudras. Tu peux continuer ta douzième année ou rester à la maison avec Rosa. Seulement, tu risques de trouver ça ennuyant. Tu pourrais aussi venir avec moi dans le bois. Je serais pas fâché d'avoir de l'aide.»

Marc hésitait. Son oncle poursuivit:

«T'as pas besoin de décider tout de suite comme ça pour le reste de ta vie. Penses-y. Prends ton temps. Ça serait pas mal que tu te changes les idées. Accompagne-moi au moins une fois pour voir si t'aimes ça. C'est pas toujours facile tu sais. Ensuite tu prendras ta décision. L'école sera encore là la semaine prochaine.»

Marc accepta la proposition et, avant de rentrer, remercia son oncle. Peu après il se coucha et s'endormit, les membres lourds de fatigue mais l'esprit en paix, heureux et anxieux à la fois devant cette expédition de chasse, la première à laquelle il participerait.

III

Marc n'en revenait pas de la quantité de bagages qu'il avait fallu apporter : un grand canot de six mètres que son oncle appelait *freighter*, un moteur hors-bord, une tente, des sacs de couchage, un réchaud, un fanal, des vêtements de rechange, des imperméables, des victuailles, des carabines et des munitions en plus des haches, de la corde et de divers outils.

«On pourrait en amener moins, avait dit son oncle, mais nos clients sont habitués au confort. En plus y payent ben, alors faut les traiter aux petits oignons.»

Les clients, c'était Larry et Pete, deux types dans la cinquantaine, l'air affable et le sourire facile. Ils ne parlaient pas français et l'oncle Édouard avait pu dire devant eux :

«Y sont corrects ces deux-là. On aura pas de problème avec eux autres.»

Ils avaient mis le canot à l'eau sur la Kabinakagami au bout du chemin Rodgers. Il était lourdement chargé et les chasseurs n'eurent d'autre choix que de s'asseoir par-dessus le monceau de bagages. Marc s'inquiétait mais son oncle le rassura :

«Y peut en tenir plus que ça. Faut ben : en revenant, on

aura probablement un orignal en plus. Ça va être moins drôle parce qu'on va remonter le courant.»

Marc comprit vite ce qu'il voulait dire. Le courant était vif. À lui seul, il suffisait amplement à faire avancer l'embarcation et le moteur servait plutôt à la diriger qu'à la propulser. L'oncle Édouard semblait connaître tous les écueils et tous les passages de la rivière. Pendant qu'on voyait des bancs de sable, des îlots de verdure ou des roches à fleur d'eau de chaque côté, le guide trouvait toujours un chenal navigable. Marc s'aperçut que dans les courbes, son oncle se tenait toujours du côté le plus éloigné. Il en conclut que ce devait être là que la rivière était le plus profond.

Il y avait aussi de nombreux rapides où ils devaient relever le pied du moteur. Ils descendaient alors à l'aviron s'il y avait un chenal suffisant. À trois reprises, ils durent même délester le canot d'une partie de sa charge et le laisser descendre au bout d'une corde. C'était un travail ardu auquel les deux clients participaient fort peu. Marc le fit remarquer à son oncle qui se contenta de dire: «C'est normal, y payent. D'ailleurs c'est pas ben terrible. Les portages, c'est pire que ça. T'en fais pas. La chasse ouvre seulement demain et seulement au nord, sur la Ridge. Aujourd'hui on a rien qu'à descendre. On a tout le temps voulu.»

Ils n'avaient parcouru qu'une vingtaine de kilomètres lorsqu'à un tournant de la rivière, Marc aperçut un magnifique orignal qui buvait tranquillement. Il poussa une exclamation. Les deux clients se précipitèrent vers les carabines. Mais le guide leur intima d'un ton qui n'admettait pas de réplique:

«Personne tire! La chasse est pas ouverte ici.»

À l'exclamation de Marc, l'orignal avait levé la tête. Son panache avait au moins un mètre cinquante d'envergure et, avec ses longues pattes, il devait mesurer près de deux mètres au garrot. À cent mètres, c'eût été un coup facile.

Les deux clients avaient l'air si déçus quand l'animal disparut au petit trot que le guide jugea bon de les réconforter.

«On en verra d'autres. Y'auront pas toujours la loi de leur côté.»

Ils continuèrent de descendre la rivière. Plus ils avançaient, plus les berges devenaient escarpées et la rivière, étroite et rapide, ressemblait à un profond sillon creusé dans la glaise et le sable. Parfois de longues coulées provenant d'éboulis récents attestaient du travail incessant de la rivière à se creuser un lit. Des buissons, des arbustes et même des arbres entiers encore chargés de feuilles se retrouvaient ainsi dans l'eau au bas de la falaise et barraient pratiquement la rivière. Sur les hauteurs, les trembles et les bouleaux jaunissants balançaient mollement leurs branches à la brise. Il y avait aussi des sapins, des mélèzes et, bien entendu, des épinettes.

Leur passage soulevait des nuées d'oiseaux aquatiques : des canards, des poules d'eau, des sarcelles, des huards et quelques outardes. Juchés dans les arbres, des corneilles, des pies et des étourneaux répondaient à leurs cris effarouchés.

Marc se tenait à la pince, les yeux rivés à la rivière pour déceler les remous qui indiquaient des roches submergées, toujours prêt à donner l'alarme ou à sauter pour stabiliser le canot. Ce qui lui manquait en expérience, il le remplaçait par un surcroît de vigilance. Son oncle ne pouvait s'empêcher de sourire en regardant ce garçon aux cheveux en broussaille penché sur l'eau sombre, si empressé, si attentif et si courageux devant l'épreuve. Il se comportait exactement comme le fils que le rude trappeur aurait aimé avoir, ce fils qu'il eût souhaité débrouillard et courageux... comme lui-même dans sa jeunesse.

«Pour un p'tit gars de la ville, y se débrouille bien. Enfin, on verra...»

La nuit tombait quand ils atteignirent l'emplacement sur lequel ils devaient camper. Malgré sa fatigue, Marc dut encore décharger le *freighter*, aider à monter la tente et ramasser du bois pour le feu. L'oncle se chargeait de la cuisine : des fèves au lard, du pain grillé sur la braise, du fromage et des biscuits, le tout arrosé de thé brûlant. La vaisselle lavée et rangée, l'oncle suggéra de se coucher et Marc remarqua que ses «suggestions» étaient presque des ordres, données sur un ton déférent aux clients mais qui n'en demeuraient pas moins indiscutables. Il en conclut que le guide, même s'il n'est qu'un employé qui effectue tout le travail, a l'entière responsabilité de l'expédition et la dirige à son gré.

En plus de servir les clients, un guide doit se contenter du confort minimum. Marc l'apprit en voyant son oncle dérouler leurs sacs de couchage dehors, près de la tente, sur une toile posée à même la mousse. Devant sa mine intriguée — il n'était pas loin de protester — son oncle expliqua:

«La tente, c'est pour les clients. De toute façon, une nuit comme celle-là, on est aussi bien dehors.

— Mais... s'il commence à mouiller?

— ...Ou à neiger. On rabat la toile par-dessus les sacs de couchage et on dort. La neige aide à garder chaud. J'ai déjà couché dehors par quarante sous zéro dans un sac comme ça. Pas de problème. Si tu dors pas, c'est que t'es pas assez fatigué. Alors faudra te faire travailler plus fort demain.»

Marc commençait à se familiariser avec cette façon de voir les choses: si tu trouves pas ça bon, c'est que t'as pas assez faim, si tu dors pas, c'est que t'es pas assez fatigué, et si tu gèles, c'est que tu bouges pas assez. Ça lui semblait un peu primitif comme raisonnement mais il n'allait pas tarder à en constater l'exactitude. Il pourrait manger, dormir et se réchauffer dans des conditions qui lui auraient semblé impossibles une semaine plus tôt.

Il devait être suffisamment fatigué ce soir-là parce qu'il dormit comme une bûche et son oncle dut le secouer pour le réveiller le lendemain matin.

«Lève-toi. On va aller *caller*.»

Il faisait encore nuit mais déjà le feu était allumé et l'eau bouillait pour le café.

«Profite du feu pour faire sécher tes affaires, tes bas surtout. Autrement tu vas geler toute la journée.»

Il s'exécuta et, pendant qu'il y était, fit aussi réchauffer ses bottes.

«D'accord pour les faire sécher mais laisse-les refroidir avant de les mettre. Si tu mets des bottes trop chaudes, tu transpires. Ensuite tu gèles des pieds. C'est mieux d'avoir un peu froid au début que froid toute la journée.

— Que de détails, soupira Marc. Mon Dieu, faut penser à tout.

— C'est le commencement de la sagesse, ça mon gars. Ces petits détails-là font qu'on se sent à l'aise ou ben qu'on se sent misérable. T'apprendras à t'en rappeler comme d'une routine. À la longue, tu t'en occuperas sans même y penser.»

L'aube trouva les quatre chasseurs embusqués près de la rivière. Le guide avait choisi un promontoire rocheux situé dans un coude de la rivière. Comme la forêt était assez éloignée vers l'arrière, ils pouvaient voir au moins à cent mètres dans toutes les directions.

«Mettez-vous à l'aise, avait-il suggéré. Trouvez une position confortable parce qu'on pourra pas bouger pendant un bon bout de temps.»

Chacun s'était donc installé de son mieux pour attendre.

Assis sur une roche, les coudes posés sur les genoux, Marc se demandait ce qu'on attendait. Enfin son oncle emboucha un cornet d'écorce de bouleau et émit un long cri qui ressemblait à une plainte, faible d'abord et dirigé vers la terre. Puis l'appel s'amplifiait, s'élevait au-dessus de la lisière des arbres pour revenir enfin mourir au sol. On attendit encore. Une vingtaine de minutes plus tard, le guide cassa quelques brindilles et frappa à plusieurs reprises la crosse de sa carabine contre le roc. Puis il se dirigea vers la rivière et emplit son cornet d'eau qu'il laissa s'écouler en un long jet sonore. Ensuite, les pieds toujours dans l'eau, il se mit à piaffer et lança un autre cri, plus bref, moins plaintif, mais empreint de plus d'urgence. Il tendit l'oreille. Tout à coup, il se retourna vers les trois autres, qui n'avaient pas bougé et, souriant, fit un signe de tête qui pouvait bien signifier: «Préparez-vous!» On se remit à attendre. Dix minutes passèrent encore. Marc crut entendre du bruit venant de la forêt en face, de l'autre côté de la rivière. Presque aussitôt, il perçut des éclaboussures dans l'eau. Tournant la tête, il aperçut un orignal qui traversait la rivière sur la gauche, hors de portée de carabine. L'animal disparut. Au son, les chasseurs pouvaient suivre sa progression. Derrière eux, la forêt s'animait: des bruits de choc, des branches qui cassaient et des respirations bruyantes comme des râles. Le jeune homme avait les nerfs à fleur de peau. Son oncle lui fit signe de rester coi.

Ils attendirent encore. Le bruit cessa. Marc était tout engourdi sur son siège de roc. Son oncle secouait la tête. Tout à coup il dit d'une voix normale qui fit sursauter l'adolescent:

«On peut parler. Y sont partis.»

Marc se leva et fit quelques pas pour rétablir la circulation.

«Qu'est-ce qui s'est passé?» demanda Larry.

L'oncle Édouard avait l'air assez satisfait.

«Y' en a deux qui ont répondu. Un en arrière dans le bois, l'autre devant, de l'autre côté de la rivière.

— Ils ont répondu? J'ai rien entendu.

— Ça ressemble un peu au croassement d'un corbeau. Faut avoir l'habitude pour le reconnaître. Celui qui était de l'autre côté a fait un grand détour pour traverser la rivière. C'est normal. Y viennent jamais en ligne droite.

— Le bruit dans le bois?

— Y se sont rencontrés pis y se sont battus.»

Larry ne tarissait pas de questions et Marc, s'il n'en posait aucune pour ne pas avoir l'air d'un blanc-bec, gobait les réponses.

«Mais le gagnant aurait dû venir vers nous?»

Le guide secoua la tête.

«Le vent était contre nous autres. Y'a probablement pas eu de gagnant. Les deux se sont aperçus qu'y avaient pas affaire à une femelle. Y sont repartis.»

Les clients étaient visiblement déçus. Marc crut devoir faire montre d'optimisme.

«En tout cas, y'a de l'orignal dans le coin.»

Son oncle lui jeta un regard reconnaissant.

«Oui, y'en aura d'autres. La prochaine fois, y'a rien qui dit que le vent sera pas en not' faveur. S'adressant aux clients, il demanda: Ça vous dirait de voir le champ de bataille?»

D'un signe de tête, Larry et Pete acquiescèrent et ils suivirent le guide qui se dirigea, non pas vers la forêt où la bataille avait eu lieu, mais plutôt vers la rivière qu'il se mit à longer.

«Trouvons d'abord la piste de celui qui a traversé. Nous aurons rien qu'à la suivre pour arriver où y se sont battus.»

Curieux, Marc collait aux semelles de son oncle. Il n'était pas fâché de se délier les jambes, d'autant plus que la marche activait son système circulatoire et contribuait à le réchauffer. Bientôt ils aperçurent les empreintes.

«Regarde à quoi ça ressemble une piste fraîche, disait l'oncle Édouard. Les bords de la trace sont encore fermes. Dans les flaques, l'eau est encore brouillée.»

À mesure qu'ils avançaient, il faisait remarquer divers détails à son neveu : la grosseur du sabot, la distance entre les empreintes, leur direction, etc. Il pointa du doigt une touffe de poils accrochée à l'écorce d'un liard à un mètre quatre-vingts du sol et un sapin ébranché duquel pendaient des lambeaux d'écorce.

«Même si je l'avais pas vu, je saurais que c'était un mâle assez gros, qu'y répondait à une femelle et qu'y connaissait la présence d'un autre mâle aux alentours.

— Comment pourriez-vous savoir tout ça? lui demanda Pete.

— La taille, par la grosseur du sabot et la hauteur du poil sur l'écorce. D'après la distance entre les traces, pas de doute qu'y courait. Le sapin ébranché, c'est fait avec le panache par un mâle. C'est comme ça qu'y passe sa rage quand y répond à un appel pis qu'y sent un rival.»

Plus loin, il indiqua les signes du combat : des traces en tous sens, des arbustes brisés, du poil un peu partout.

«Y se sont pas battus longtemps, affirma-t-il. Un coup de vent a dû leur apporter notre odeur.

— Pas de traces de sang, fit remarquer l'apprenti chasseur. Ils se sont pas blessés.

— Tu sais, observa son oncle, y se font rarement très mal. Le plus faible s'en aperçoit vite et décampe avant de subir trop de dommages.»

Les deux clients, mis en appétit par ce début prometteur, voulaient reprendre la chasse à l'instant.

«Ça risque d'être plutôt calme à cette heure-ci, affirma le guide. Les meilleurs moments, c'est l'aube et le crépuscule. Enfin, si vous y tenez, on peut toujours patrouiller la rivière. On sait jamais.»

Ainsi fut fait. Le pied du moteur relevé, ils se laissèrent descendre au courant, gouvernant à l'aviron. La seule directive, c'était de faire le moins de bruit possible. Marc maniait l'aviron. Larry, Pete et l'oncle Édouard avaient la carabine en main. Ce dernier avait expliqué:

«C'est un arrangement que j'ai avec tous mes clients: je les laisse tirer les premiers. Mais si l'orignal reste debout, je tire. Comme ça, on augmente les chances.

— Vous en tuez souvent vous-même?

— Quatre ou cinq par automne. Des fois plus, des fois moins. Ça dépend plus de la précision du tir des clients que de la mienne.

— En général, ils savent tirer?

— Non, plusieurs prennent les nerfs, le *buck-fever*. Y'en a qui restent la bouche grande ouverte pis qui oublient de tirer.

— Ça vous fait combien d'orignaux dans votre carrière?»

Le guide réfléchit un moment.

«Peut-être soixante ou soixante-dix. Depuis le temps, j'ai perdu le compte.»

Marc était béat d'admiration.

«Vous devez plus être nerveux...

— Tu serais surpris... J'ai encore le frisson quand j'en tiens un au bout de la mire. On doit jamais s'habituer à ça. Heureusement, ça m'a jamais empêché de viser juste.»

Marc brûlait d'envie d'échanger son aviron contre une carabine. Il n'osait le demander. Peut-être n'inspirerait-il pas confiance aux clients? Son oncle dut lire son désir dans ses yeux.

— Demain je te laisserai la carabine... à condition que tu t'exerces un peu à soir. Devant le gibier, c'est pas le temps de se demander comment ça fonctionne. Pratique-toi à mettre les balles dedans, vise, tire deux ou trois coups si tu veux. Mais pas devant les autres. C'est mieux qu'y te voient pas faire.»

Jamais Marc n'avait pagayé plus allégrement.

IV

Ils essayèrent à nouveau l'embuscade ce soir-là et le lendemain matin, mais sans succès. Un mâle répondit à l'appel — l'apprenti reconnut son cri cette fois-ci — mais il se contenta de venir rôder autour d'eux et se garda bien de se montrer. Les chasseurs recommencèrent donc à patrouiller la rivière. Au moment d'embarquer, son oncle tendit à Marc sa carabine, une Browning .308 que le jeune homme s'était exercé à manipuler.

«Laisse les clients monter en avant. Si on en voit un, laisse-les tirer les premiers. Épaule quand même mais attends qu'y tirent. Ensuite, si l'orignal est toujours debout, fais ton possible. Vise la bosse, la tête ou le coffre. C'est là qu'on fait le moins de dommage à la viande pis c'est toujours un coup fatal.

— Le coffre? Qu'est- ce que c'est?»

Le guide lui donna une bourrade.

«La cage thoracique si t'aimes mieux. Juste en arrière de la patte d'en avant.

— Compris.»

Au début, Marc surveillait attentivement les rives, mais à la longue, son attention fut attirée par divers bruits et mouvements et se relâcha. Ici, c'était une perdrix qui caquetait dans une talle d'aulnes. Ailleurs, un rat musqué sillonnait la surface de l'eau. Il aperçut aussi des malards, des canards noirs et des petits plongeurs que leur approche n'effrayait pas. Il était émerveillé de voir toute cette vie que, dans les villes, on ne soupçonne même pas.

Le canot glissait entraîné par le courant. Marc admira la dextérité de son oncle à l'aviron. Pour ne pas faire de bruit, jamais il ne le sortait de l'eau. Il s'en servait comme d'un gouvernail, prenant appui sur la bordure. S'il devait pagayer, il le ramenait vers l'avant, dans l'eau, la pale parallèle à l'embarcation. Il évitait ainsi le bruit des gouttelettes et celui du plongeon. Dirigé de la sorte, le canot se confondait à la rivière dont il adoptait l'allure. Les hommes, silencieux et quasi immobiles, semblaient faire partie du paysage au même titre que les arbres. Mais ce n'était qu'apparence...

Marc se prit à penser à la ville, se demanda ce que faisaient ses copains à cette heure-ci. Sûrement, ils devaient être en classe. Il entrevit la haute silhouette du professeur de mathématiques qui alignait des chiffres au tableau...

Tout à coup, il eut conscience que Larry s'agitait devant lui. Il leva les yeux et balaya la rivière du regard. Rien de suspect... sauf une tache sombre au loin près de la rive. Il se retourna vers son oncle qui lui fit un clin d'œil. Il regarda de nouveau plus attentivement et convint que la tache bougeait... ou était-ce une illusion? Il saisit sa carabine. Larry et Pete avaient déjà armé et épaulé les leurs. Il fit de même et attendit la suite des événements.

Pendant quelques minutes, ils continuèrent de dériver. Chaque seconde les rapprochait de la tache et confirmait ses soupçons. Tout à coup, d'un mouvement brusque accompagné de bruyantes éclaboussures, l'orignal releva la tête et Marc comprit pourquoi il ne l'avait pas reconnu pour ce qu'il était : l'animal avait la tête sous l'eau, sans doute pour manger des racines de nénuphars. Comme on le voyait de face et qu'il avait pénétré dans la rivière jusqu'au ventre, il n'offrait à la vue qu'un amas de fourrure noire en forme de poire. Mais en relevant la tête, il devenait tout à fait reconnaissable.

Ils attendirent encore quelques secondes qui semblèrent à Marc une éternité. L'orignal ne donnait aucun signe d'énervement. La tête haute, il regardait tranquillement venir le canot. Quand on ne fut plus qu'à soixante-quinze mètres, Larry chuchota «Let's go», et Marc entendit deux détonations presque simultanées. L'orignal fit un bond de côté et partit au galop vers la forêt. Marc n'eut que le temps d'appuyer sur la gâchette. Dans le fracas qui lui emplissait la tête, il lui sembla que l'orignal manquait une foulée, qu'il faisait une sorte de génuflexion. Mais avec la boue qui volait et les broussailles de la rive qui lui voilaient la vue, il n'aurait pu jurer. D'ailleurs en cinq secondes la bête avait disparu. Il avait dû se tromper.

Marc se tourna vers son oncle et s'aperçut qu'il souriait de toutes ses dents. Il demanda à voix basse:

«On l'a manqué?»

Pour toute réponse le guide haussa les épaules et dirigea le canot vers la rive. Ils mirent pied à terre.

D'abord, Marc ne vit rien de très révélateur: de l'eau trouble où flottaient des racines arrachées, des herbes foulées et des empreintes, fraîches de toute évidence. Son oncle désigna une série de taches parallèles aux traces.

«Le sang pisse, murmura-t-il. Il est touché assez sérieusement.»

Larry demanda sur le même ton:

«Qu'est-ce qu'on fait? On se lance à ses trousses?»

Attrapant son sac dans le canot, le guide répondit:

«On prend un café et on attend. Dans une heure, on ira voir.»

Les clients, encore électrisés par l'apparition du gibier convoité et la fusillade, n'y comprenaient rien.

«Mais pourquoi?» protesta Pete.

La réponse vint aussitôt, basse mais incisive.

«Parce qu'un orignal blessé peut courir des kilomètres. Surtout quand on court après lui. Y court tant qu'y peut tenir debout. Mais si on le laisse tranquille, y se couche pour reprendre des forces. Y saigne pis y peut pas repartir. Attendons une heure. Y'est encore de bonne heure. J'ai l'impression que celui-là ira pas loin.»

Marc commençait à s'assoupir, bien assis dans la fourche d'un bouleau renversé, quand son oncle se leva.

«Allons-y», dit-il.

Il prit la tête, suivi des deux clients qui ne voulaient rien manquer. Marc dut se contenter de fermer la marche. Ils avancèrent lentement, les sens en éveil et la carabine prête. De nombreux arrêts ponctuaient la poursuite aux endroits où le guide éprouvait des difficultés à retrouver la trace. Au bout de dix minutes en terrain embroussaillé, ils parvinrent à une cédrière où le soleil ne pénétrait pas dans le sous-bois. Du doigt, le guide pointa une large flaque de sang noirâtre à demi coagulé.

«Y s'est arrêté là.»

Puis reprenant la piste, il constata d'une voix perplexe:

«Tiens, y change de direction.»

Ils marchèrent encore une dizaine de minutes quand, tout à coup, la silhouette de l'orignal se profila devant eux contre un arrachis. Agenouillé sur ses pattes de devant, il tentait de se mettre debout. D'une seule balle en pleine tête, Pete l'abattit. On s'approcha. La bête ne bougeait plus.

«Et voilà! Fini le plaisir. C'est l'ouvrage qui commence maintenant», fit le guide en guise d'élégie.

Les deux touristes examinaient les blessures pour déterminer qui avait atteint l'orignal la première fois.

Incapables de s'accorder, ils consultèrent l'expert. Celui-ci haussa les épaules.

«Difficile à dire. Ça doit être un de vous deux, mais lequel, ça je sais pas.»

Marc n'en croyait pas ses oreilles. La balle avait pénétré de côté en plein dans le coffre. Or, les deux clients avaient tiré l'orignal de face. Il était seul à l'avoir tiré de flanc. C'était donc son orignal et il entendait bien qu'on le reconnaisse. Il allait protester mais son oncle lui coupa la parole en lui jetant un regard sévère.

«Aide-moi à le retourner sur le dos.»

Ils écartèrent les pattes de la bête avant de les attacher et l'oncle Édouard entreprit d'éventrer l'orignal en partant de l'anus jusqu'au sternum, qu'il ouvrit à coups de hache. Il mit de côté le cœur et le foie, vida les entrailles puis coupa la tête et les pattes en brisant les os à la hache. Marc essayait d'aider mais il s'aperçut bien vite que son canif arrivait à peine à entailler la peau de l'orignal. D'ailleurs, l'odeur du sang lui donnait la nausée. Pendant un moment, il dut se retirer à l'écart pour respirer de l'air frais. Son oncle, feignant ne s'apercevoir de rien, continuait à manier allégrement le couteau.

«Reste rien qu'à le débiter en quartiers.»

À nouveau, il saisit la hache en faisant remarquer à son neveu :

«Si jamais tu dois faire ça, je te conseille d'apporter une scie à viande. Faut pas mal de pratique pour découper un orignal en quatre à la hache sans tout abîmer.»

Marc croyait bien que chacun allait se charger d'un quartier et qu'on reprendrait en sens inverse le même chemin qu'à l'aller, mais le guide consulta sa carte et décréta :

«Retournons à la rivière par le plus court. Y sera toujours temps de revenir chercher la viande une fois le chemin établi.»

Il partit donc devant, sa boussole d'une main et la hache

de l'autre pour entailler au passage l'écorce des arbres et baliser ainsi sa route. En dix minutes, ils parvinrent à la rivière quelque trois cents mètres en aval du canot. Comme toujours, le guide avait eu raison et la distance sur laquelle ils devraient transporter les quartiers serait ainsi raccourcie de moitié. Il attacha un ruban rouge à un arbuste en bordure de la rivière.

«Allons manger une bouchée avant de s'atteler au boulot, proposa-t-il. La tente se trouve à trois ou quatre kilomètres. On reviendra plus tard ou demain matin.»

Le groupe rentra donc au campement. Pendant qu'il faisait frire quelques tranches de foie, le guide sondait ses clients.

«Voulez-vous continuer à chasser ou aimez-vous mieux rentrer? Vous avez encore un permis valide et vous avez payé pour cinq jours. D'un autre côté, ramener deux orignaux serait difficile. Pas impossible, mais difficile. Qu'est-ce que vous en pensez?»

Les deux touristes se consultèrent un moment et optèrent pour rentrer: un orignal leur suffisait et, comme ils ne savaient pas lequel des deux l'avait abattu, ils pouvaient tous les deux en revendiquer l'honneur. Visiblement heureux de cette décision qui lui donnait une rare journée de congé, le chef de l'expédition se tourna vers son aide.

«Si c'est comme ça, on a pas le choix. Faut embarquer la viande à soir pour pouvoir partir de bonne heure demain. Allons-y pendant qu'on voit encore clair.»

En effet, la nuit était sur le point de tomber et le jeune homme se serait plus volontiers glissé dans son sac de couchage qu'assis dans un canot. D'autant plus que Larry et Pete restaient bien assis devant le feu. Après lui avoir volé son orignal, ils ne donnaient même pas un coup de main pour le sortir du bois! Outré de l'injustice, il le fit remarquer à son oncle.

«C'est ça qui est le métier, répliqua celui-ci. On est des

guides, eux autres des clients qui payent. Toi, tu sais que c'est toi qui l'as tué. Je le sais moi aussi. Laisse-les penser ce qu'y veulent si ça peut leur faire plaisir.»

Marc comprenait mais il ne put s'empêcher d'ajouter:

«Quand même, ils auraient pu venir nous aider.

— Ça dépend des clients. Y'en a qui le font, d'autres non. Des fois, c'est mieux de pas les avoir dans les jambes. On est deux. Pas plus qu'un kilomètre à porter. On aura pas de problèmes. J'ai déjà vu ben pire.»

Il faisait déjà très sombre quand ils accostèrent à l'endroit marqué du ruban rouge. Ils suivirent les entailles jusqu'à la cédrière où l'orignal était tombé. Il y faisait complètement nuit.

«Prends un quartier d'en avant, c'est un peu moins pesant. J'vas t'aider à te le mettre sur l'épaule.»

C'était en effet horriblement lourd et Marc partit dans l'obscurité, chancelant sur ses jambes, anxieux de quitter le tracé et convaincu que jamais, au grand jamais, il ne pourrait porter ce poids sur tout un kilomètre. Il n'avait pas parcouru cent mètres que son oncle le dépassait au pas de course.

«Va plus vite, lança-t-il au passage. Moins tu le portes longtemps, moins tu te maganes.»

Facile à dire! Avec un poids de cent kilos sur le dos, en terrain plein d'embûches, dans l'obscurité totale et avec la vue complètement obstruée d'un côté, il aurait fallu courir! Il serra les dents et accéléra.

Il eut moins de mal qu'il ne l'aurait cru à retrouver sa route, soit que ses yeux se fussent habitués à l'obscurité, soit que la nuit fût moins noire que tantôt. Mais il fit bientôt face à un autre problème: la charge glissait imperceptiblement vers l'arrière et il sentit qu'elle allait lui échapper. Il se courba vers l'avant.

«Si je la lâche, jamais je pourrai la reprendre tout seul.»

Il fit encore vingt pas. Il avait le souffle court et l'os du quartier lui blessait cruellement l'épaule. N'y tenant plus, il lâcha tout et se redressa.

Un grand rire près de lui le fit sursauter.

«Pas mal. Je pensais pas que tu te rendrais jusqu'ici.»

Son oncle était là, à trois mètres de lui. Il ne semblait pas autrement essoufflé.

«On est à moitié chemin. T'aurais pas dû tout lâcher par terre. Regarde comment on fait.»

Le guide était adossé à un arbre et, pour se reposer, avait simplement posé sa charge au creux d'une fourche. Il se contentait pour l'instant d'en garder l'équilibre avec la main. Le moment venu de repartir, il n'aurait qu'à glisser l'épaule sous le quartier et se redresser. Tandis que Marc...

La halte terminée, le guide dit à Marc, désignant son fardeau :

«Prends le mien. Je m'arrangerai ben pour me mettre le tien sur l'épaule.»

Pendant que le neveu se glissait sous le poids, son oncle, sans effort apparent et d'un seul geste continu, se balança le quartier sur le dos et reprit la direction du canot.

La deuxième partie du trajet fut encore plus pénible que la première. Le quartier arrière était plus lourd que l'autre et à l'approche de la rivière, les broussailles plus denses rendaient la marche difficile. Après la halte, Marc avait eu soin de changer d'épaule. Résultat : il avait maintenant les deux épaules endolories.

Il rencontra son oncle qui avait déposé sa charge dans le canot et qui revenait chercher un deuxième quartier. À ses encouragements, il ne répondit rien pour ne pas faire l'effort supplémentaire de parler.

Cinquante mètres restaient encore à parcourir mais il

n'en pouvait plus. Comble de malheur, aucun arbre en vue pour poser son faix dans une fourche ou sur une branche. Partout, rien que des broussailles. Il le laissa tomber par terre puis, sans prendre le temps de se reposer, saisit le jarret et entreprit de le traîner. En cinq minutes, il était au canot.

«Je reprendrai mon souffle en marchant.»

Il repartit immédiatement en se demandant s'il pourrait accomplir cet exploit une deuxième fois. L'obscurité ne l'effrayait plus du tout; l'effort à fournir avait accaparé toute son attention. À mi-chemin, il rencontra son oncle qui faisait halte.

«Prends ton temps mon gars. Pas de raison de se faire mourir.»

Il s'arrêta donc un moment. Pour meubler le silence, il hasarda:

«C'est un bon coin pour l'orignal. On en a vu trois en comptant celui que j'ai tué. En plus, on en a fait venir deux autres sur le *call* qui se sont pas montrés. Ça fait cinq orignaux en trois jours.»

Le guide hésita un instant avant de dire sur un ton de confidence:

«Tu sais, les deux qu'on a fait venir le premier soir pis qui se sont battus...

— Oui, et bien?

— J'aurais probablement pu les faire sortir du bois.»

Marc était incrédule.

«Pourquoi est-ce que vous l'avez pas fait?

— C'était la première journée de chasse si on compte pas le voyage. Y'avaient payé pour cinq jours de mon temps. Faut quand même leur en donner pour leur argent. J'avais pas envie de leur en remettre.»

Cette fois Marc avait compris.

«Ça veut dire que vous guidez pas les chasseurs rien que pour tuer. Ils chassent pour le plaisir de chasser.

— C'est en plein ça. Le plaisir c'est de marcher dans le bois, suivre une piste, attendre une réponse, voir des animaux sauvages. Des fois, je me dis que la carabine, c'est rien qu'un prétexte pour vivre pendant quelques jours comme dans l'ancien temps. Quand j'étais jeune, la chasse, c'était un mode de vie, une manière de se trouver à manger. Pour beaucoup d'Indiens, c'est encore ça. Moi aussi, je gagne ma vie avec ça... Mais eux autres, les touristes? Y pourraient en acheter de la viande avec l'argent qu'y dépensent pour une expédition comme celle-là!

— C'est vrai que ça doit leur revenir cher le kilo, fit Marc en riant.

— Y veulent juste faire revivre les vieux instincts, se sentir des coureurs de bois pendant un bout de temps. Peut-être que les gens des villes ont besoin de ça de temps en temps pour se rappeler d'où y viennent... Bon, ça suffit le bavardage. On a pas encore fini.»

Marc ne put s'empêcher de penser que ces paroles s'appliquaient bien à lui. En ville, dans les arcades de jeux, les cinémas ou les supermarchés, il n'avait jamais même soupçonné l'existence de ces plaisirs primitifs, de ces frissons qui lui avaient parcouru l'échine devant le gibier ou de cet acharnement qu'il mettait à transporter un quartier de venaison. Il retrouvait en quelques jours les instincts, les ruses, les gestes et même le plaisir un peu barbare que des millénaires de chasse ont implantés dans l'homme et que quelques générations de vie urbaine n'ont pu déraciner. Il éprouvait le sentiment de revenir chez lui après une longue absence.

Si le premier trajet avait été pénible, le deuxième fut un véritable calvaire. Malgré ses tentatives, il ne parvint pas à se mettre le quartier sur l'épaule, et dut le porter dans ses bras, une cinquantaine de mètres à la fois, s'accordant deux minutes pour souffler à chaque pause. Deux fois, il trébucha avec sa charge qui le tirait par en avant. La première fois, il tomba à quatre pattes dans un trou d'eau glacée. La deuxième, il s'écorcha la joue contre un tronc noueux. Il n'avait couvert que la moitié du parcours quand son oncle vint à sa rencontre. À deux, en se l'échangeant à plusieurs reprises, ils parvinrent à porter le dernier quartier sans trop de peine et purent rentrer au campement.

Marc était complètement éreinté, mouillé, transi et endolori quand, vers minuit, ils arrivèrent à la tente dans laquelle les clients ronflaient paisiblement. Il se chauffa un instant près du feu puis se faufila dans son sac de couchage et s'endormit presque instantanément.

Au matin, il s'aperçut avec stupéfaction que ses vêtements étaient couverts de boue comme l'était d'ailleurs la venaison qu'il avait transportée. Il comprit l'insistance de son oncle à ne jamais poser un quartier par terre sans nécessité.

«Faudrait laver ça avant que les clients les voient, suggéra ce dernier. Y veulent de la viande, pas de la terre. Fais sécher ton linge. La boue va tomber plus facilement. Après, viens déjeuner. On a une grosse journée en avant de nous autres.»

Sitôt le déjeuner fini, on s'affaira à démonter la tente et à tout ranger dans le *freighter*. Le bagage, posé par-dessus les quartiers de viande étalés au fond, formait un amas impressionnant et Marc se demanda où ils prendraient place. Mais tout avait été prévu et chacun put embarquer, Marc à l'avant, les clients au milieu et le guide aux commandes du moteur. Ainsi lesté, le canot enfonçait tellement que la ligne de flottaison arrivait à quinze centimètres à peine du bord. Il faudrait faire attention aux fausses manœuvres. De plus, comme on allait maintenant remonter le courant, on devrait faire appel à toute la puissance du moteur. La première partie du voyage, effectuée en eaux plutôt calmes, ne posait pas de problèmes.

Mais Marc pensait avec effroi aux rapides qui les attendaient en amont. Pour empirer les choses, il pleuvait, une de ces bruines froides et glacées qui laissent présager que la neige n'est pas loin. En dépit de ses cuissardes et d'un surtout imperméable, il ne pouvait s'empêcher de grelotter. Il savait que, derrière, son oncle avait la vue obstruée par les bagages et les passagers et qu'il comptait sur lui pour indiquer les écueils. Il n'osait donc pas détourner la tête pour éviter le vent et les embruns qui lui ruisselaient sur le visage. Il serra les dents et prit son mal en patience.

Ils arrivèrent au premier rapide. À sa grande stupéfaction, Marc s'aperçut qu'on le remontait sans même mettre pied à terre. L'eau était suffisamment profonde pour permettre de pousser le moteur à plein régime et le moteur assez puissant pour vaincre le courant. L'avance n'était pas rapide mais on franchit quand même l'obstacle sans effort.

Malheureusement, il n'en était pas toujours ainsi. Certains rapides n'offraient pas de chenal suffisamment large ou profond, ou bien le courant y était trop vif et le moteur ne suffisait plus à faire avancer l'embarcation. Le guide longeait alors les roches et jetait un ordre bref.

«Saute.»

La haussière à la main, protégé de l'eau glacée par ses hautes bottes, Marc bondissait alors sur les pierres visqueuses et, tendant la corde, immobilisait le canot pour permettre aux clients d'en descendre. Engourdi par le froid, courbatu et alourdi par ses vêtements épais, il se passait alors la haussière à l'épaule encore meurtrie et remorquait l'embarcation pendant que son oncle, toujours dans l'esquif, poussait à l'aide d'une perche. C'était un travail d'autant plus exténuant que le courant était vif et le canot lourdement chargé. À plusieurs reprises, il perdit pied, glissa et s'écorcha les genoux. Les roches n'étaient pas toujours disposées selon ses désirs et souvent, il devait entrer carrément dans l'eau. Il lui fallait alors redoubler de prudence pour éviter les dépressions du lit de la rivière et empêcher l'eau de pénétrer dans ses bottes.

Ils parvinrent à un rapide plus important que les autres. Tout le monde descendit et on déchargea la majeure partie des bagages. Ils franchirent ensuite l'obstacle à la haussière et ils rechargèrent le canot avant de repartir. Marc constata avec étonnement qu'il n'avait plus froid du tout. L'exercice l'avait si bien réchauffé qu'il plaignait presque les pauvres clients qui grelottaient derrière lui, les bras serrés au corps.

Vers quinze heures, ils abordèrent la rive près d'un bouleau marqué d'un bout de ruban rouge. Marc se rappela qu'ils avaient laissé à cet endroit deux bidons d'essence en prévision du retour. Il admira la sagesse de cette précaution qui avait supprimé un excédent de poids pendant une bonne partie du voyage. Il avait vu son oncle remuer avec inquiétude le réservoir presque vide et savait que ce supplément arrivait à point. Le guide n'avait-il pas dit que, sur la Kabinakagami, il fallait calculer trois fois plus de carburant à la remontée qu'au cours de la descente?

Il faisait nuit depuis longtemps quand le canot accosta à l'embarcadère du chemin Rodgers. Les longues stations qu'il avait passées immobile à la proue, suivies de l'effort ardu du passage des rapides, avaient achevé l'œuvre du travail surhumain de la veille. Marc était ankylosé, exténué, rendu à bout. Pourtant ce n'était pas fini. Restait encore à transborder le matériel et la venaison du canot au camion. Mais dès qu'il fut au chaud sur la banquette, le jeune homme s'endormit. Il ne sentit aucun des cahots du chemin et n'aperçut pas les lumières de la réserve. Son oncle dut le réveiller pour qu'il entre dans la maison. Après les nuits à la belle étoile, celle-ci lui parut d'un luxe raffiné et son maigre éclairage si brillant qu'il lui faisait mal aux yeux. Étrange comme il avait changé radicalement de perspective en peu de temps!

Le souper expédié en vitesse, il se retira pour se coucher. Il était plus fatigué qu'il n'avait faim. Il s'étira avec volupté sur son lit de camp qui lui sembla le summum du confort. En moins de rien, il dormait. Il n'entendit pas son oncle qui disait:

«C'est un brave gars. Mais pour aujourd'hui, y'a sa claque.»

Marc rêva qu'il abattait des orignaux monstrueux au fond de forêts obscures et eut des visions de torrents impétueux qui broyaient de frêles esquifs. La ville s'estompait, même dans son subconscient.

V

Septembre s'acheva, puis octobre. Marc participa à quatre autres expéditions sur la rivière et, vers la mi-novembre, à une expédition sur terre, ou plutôt sur neige. Il apprit la technique du *call*, qui devint bientôt inutile, la saison du rut étant terminée. Il s'initia également à la conduite du moteur hors-bord et, plus tard, de la motoneige.

Sans qu'il s'en rende toujours compte, il apprenait en même temps une infinité de détails sur les habitudes des animaux, les ressources de la forêt pour s'abriter ou faire du feu, la façon de s'orienter, la lecture des cartes topographiques, et l'art de se vêtir selon la saison. Il acquérait d'autres connaissances encore que son oncle s'efforçait de lui inculquer, soit qu'il reconnût en lui un successeur, soit qu'il appréciât simplement son aide et sa compagnie. Avant la fin de la saison de chasse, ils étaient devenus une paire d'amis. Marc s'attachait aussi à sa tante, dont il appréciait le calme et la sollicitude. Avec eux, il avait la nette impression de former une nouvelle famille, plus stable que l'ancienne. Il leur était reconnaissant de la simplicité de leur accueil. En tout, ils avaient une sobriété de gestes et de paroles qui vient du contact prolongé avec la nature. Marc avait découvert que son oncle cachait un cœur d'or sous ses airs bourrus et que le sourire de sa tante dissimulait un caractère énergique et volontaire. En même temps qu'il s'adaptait à son nouvel entourage et à son mode de vie, le jeune orphelin se transformait aussi physiquement. Ses muscles durcissaient et gonflaient sous la peau. Il lui semblait devenir plus insensible à la fatigue, à la douleur et à la faim. En réalité, c'est qu'en étant plus en forme, il se fatiguait moins vite, que ses muscles plus forts le protégeaient mieux et que son estomac, soumis à un régime spartiate, transformait avec plus d'efficacité la moindre parcelle de nourriture en énergie. D'enfant potelé, il devenait un homme musclé; de bébé gâté, il devenait un adulte responsable et, de citadin douillet, il devenait un infatigable coureur des bois. La transformation était d'autant plus remarquable que les trois métamorphoses survenaient simultanément.

De l'école, il n'était plus question. Comme son oncle l'avait dit, l'école serait toujours là plus tard. D'instinct, il adoptait la philosophie du moment présent que professait sa nouvelle famille. Pour calmer sa conscience qui lui reprochait ses atermoiements, il se dit qu'il irait après les fêtes et que, de toute façon, son semestre était perdu. S'il avait eu trop de difficultés à s'adapter à sa nouvelle vie, il se serait sans doute rabattu sur cette solution pour assurer une continuité. Or, au contraire, il ne cessait de s'émerveiller devant ce monde primitif qui s'offrait à lui et de se surprendre de ses propres prouesses. Il avait l'impression de se découvrir, de renaître à la vie. Comme tant de choses qu'il avait auparavant tenues pour essentielles et dont il se passait maintenant sans en souffrir le moindrement, l'école passait à l'arrière-plan de ses préoccupations. En l'absence de tout luxe, ses notions de bien-être, de sécurité et de confort se transformaient. De plus en plus, elles dépendaient davantage de son état d'esprit et de sa forme physique que du nombre d'objets à sa disposition. Il prenait plaisir à vivre dans le dénuement, à affronter les difficultés imprévues et à en triompher. Ces victoires sur lui-même lui procuraient plus de contentement et de paix qu'il n'en avait éprouvés depuis bien longtemps.

Le flegme imperturbable de sa tante, la sérénité bourrue de son oncle, il s'en imprégnait et, par une sorte d'osmose, les faisait siens. Après des années de contact avec la misanthropie de son père et la nervosité de sa mère, cette tranquillité d'esprit lui libérait l'âme. C'était le calme plat après le blizzard. Il se surprenait à admirer un matin enneigé scintillant au soleil ou un ciel étoilé coiffant une nuit claire. Cela le portait à s'interroger sur l'origine des choses et des êtres et sur le sens de la destinée. L'immensité du paysage lui faisait prendre conscience de sa petitesse mais en même temps, la ruse dont il apprenait à user contre les éléments lui révélait la grandeur de l'être humain. Il se détachait des rites formalistes de la religion de son enfance mais acquérait la conviction qu'il avait sa place dans l'ordre universel. L'idée qu'il se faisait de Dieu s'en trouvait complètement changée: incapable désormais de se le représenter, il se contentait d'en admirer les manifestations.

Au début du mois de décembre, la saison de chasse terminée, son oncle annonça qu'il allait maintenant se mettre à trapper. Il offrait à son neveu de l'accompagner. Marc accueillit la proposition avec enthousiasme: il y voyait de nouvelles aventures à vivre et une nouvelle expérience à acquérir.

Un lundi matin, sous une neige abondante, ils quittèrent donc la maison avant l'aube pour se rendre jusqu'à la ligne de trappe, distante de quelque cinquante kilomètres. Ils ne reviendraient à la maison qu'aux fins de semaine et apportaient avec eux, en plus du matériel de piégeage, tout le fourbi nécessaire à l'aménagement du camp d'hiver. Marc chevauchait une motoneige de marque Skidoo que son oncle avait laissée de côté l'hiver précédent pour acquérir un modèle plus récent, plus long et plus puissant. Pourtant, il avait gardé la nostalgie de sa vieille machine — la première qu'il eut possédée — et répétait à qui voulait l'entendre:

«Dans la neige molle, c'est encore le petit Élan qui porte le mieux. En plus, y'est ben plus facile à manier. Je sais pas ce qui m'a pris d'en acheter un autre.»

Pour apporter le matériel, un traîneau à fond plat en fibre de verre était attaché à chaque motoneige.

Comme il avait déjà neigé abondamment et que le chemin n'était pas battu, la progression s'avéra difficile. En terrain plat, l'avance était régulière, mais dès qu'elles devaient gravir une pente, les motoneiges s'enlisaient. De plus, comme personne n'avait utilisé ce sentier au cours de l'été, des aulnages y avaient crû et, en maints endroits, des arbres déracinés, des «corps morts», leur bloquaient le passage. En eux-mêmes, aucun de ces obstacles ne parvenait à les arrêter: les machines avaient suffisamment de puissance pour remorquer les charges, tasser la neige malgré son épaisseur et son manque de consistence, faire ployer les aulnes ou gravir les pentes. Quant aux arbres tombés, on pouvait les contourner ou les franchir. Mais, lorsque plusieurs de ces difficultés se conjuguaient, il n'y avait rien à faire que de s'arrêter. Or rien n'est pire à motoneige que de s'arrêter à mi-pente: la neige s'accumule à l'avant et adhère au châssis et au traîneau. Au moment de repartir, la chenille dérape, patine, creuse et glace la neige sous-jacente, augmentant l'inclinaison de la machine et diminuant sa traction. Impossible de se remettre en route à moins de dégager l'avant, soulever l'arrière et le déplacer, tirer et pousser assez longtemps pour reprendre de l'erre. Cet exercice, s'il se renouvelle trop souvent, devient vite éreintant.

Sous son lourd parka, Marc était en nage. Comme il suivait derrière et que c'est toujours la première machine, celle qui fait la trace, qui a des problèmes, il venait constamment buter contre le traîneau arrêté de son oncle. Il devait alors descendre, l'aider à repartir puis se débrouiller comme il pouvait pour repartir lui-même par ses propres moyens. Son oncle n'allait certainement pas perdre l'erre si durement acquise pour lui venir en aide. Après avoir répété ce manège une vingtaine de fois, il s'avisa que le problème, c'était la charge. N'y tenant plus, il proposa :

«Pourquoi est-ce qu'on ne décrocherait pas le traîneau de l'Élan? Je pourrais partir en avant, battre une trace puis revenir chercher le traîneau. Ça serait certainement plus facile.»

Le trappeur le regarda d'un air amusé.

«Plus facile, ça c'est sûr. Ça serait peut-être pas moins long par exemple. Penses-tu que tu connaîtrais ton chemin?»

Marc haussa les épaules.

«Jusqu'ici, le chemin a l'air facile à suivre. J'essaierai.

— Bon, vas-y! Fais attention. Y'a deux ruisseaux à traverser. Je suis pas sûr que la glace soit bonne. Y sont pas ben creux mais tu pourrais quand même te mouiller ou caler ta machine. Au bout de la *trail*, t'arrives à un lac. Rendu là, reviens, parce que t'arriveras jamais à trouver le camp.»

Marc partit donc seul, fier de son ingéniosité et de la confiance que son oncle lui témoignait. Il ouvrit les gaz. Debout sur les marchepieds pour en avoir un meilleur contrôle, il faisait corps avec la machine, penchait avec elle d'un côté ou de l'autre pour négocier les virages et sautait à terre sans lâcher les guidons dès qu'elle faisait mine de s'enliser. Il se sentait vivre pleinement, les muscles bandés, l'œil aux aguets pour déceler l'obstacle le plus tôt possible et lui opposer la manœuvre qui lui permettrait de le surmonter sans perdre son erre, le visage fouetté par la neige qui lui piquait les yeux, le geste prompt et le cœur en joie.

Plus rien n'existait dans son univers que ce sentier mal défini qui cicatrisait les fourrés de sapins, zigzaguait entre les souches des vieux bûchés, surnageait tout juste sur les savanes et pénétrait comme un coup de hache dans les épais boisés des collines. Il se dit qu'il était heureux, non pas en dépit de l'immense effort qu'il fournissait, mais justement à cause de lui, que la vie n'a de sens que dans l'action, que la lutte que ses parents avaient perdue trop tôt, lui la mènerait à bien.

Pourtant — et c'est toujours le cas dans ce genre d'aventure — juste au moment où il commençait à trop présumer de sa force, la nature allait lui servir une petite leçon d'humilité à sa façon. En dévalant à toute allure la pente de ce qu'il croyait être un simple vallon, il s'aperçut qu'au fond coulait un ruisseau où bouillonnait l'eau libre. Trop tard pour s'arrêter ou changer de direction. Arc-bouté sur sa machine, la tête tournée de côté pour recevoir les éclaboussures et le cœur serré d'angoisse, il se sentit projeté vers la surface sombre sans pouvoir tenter quoi que ce soit.

Un concours de circonstances avait empêché la glace de se former normalement. Cet automne-là, comme il avait plu abondamment, le niveau de l'eau était élevé et le courant fort. De plus, il avait neigé tôt avant de faire vraiment froid. Une glace mince s'était quand même formée, bientôt recouverte de neige. Quand le froid était venu, la neige, agissant comme isolant, avait empêché la glace d'épaissir. À cause de sa fragilité, elle n'avait pas tardé à être minée par le courant, et le ruisseau s'était retrouvé à l'eau libre. La température douce des derniers jours l'avait conservé dans cet état.

Le choc initial fut brutal et Marc s'agrippa aux guidons pour ne pas être désarçonné. À sa grande surprise, la motoneige ricocha sur l'eau plutôt que de s'enfoncer. Elle retomba à nouveau, plana sur l'eau et atteignit l'autre rive où elle vint s'échouer dans la neige molle.

Marc poussa un soupir de soulagement. Il n'en croyait pas ses yeux: il avait atteint l'autre rive sans même se mouiller le gros orteil. Il regarda derrière lui les gros remous qui avalaient des flocons de neige. Le ruisseau n'était pas large — cinq mètres au plus — et, à cause de sa vitesse, la motoneige l'avait littéralement sauté comme ces pierres plates que les enfants s'amusent à faire ricocher à la surface de l'eau.

Puis il regarda devant lui. Sur une vingtaine de mètres, la rive grimpait à un angle de quarante-cinq degrés. Sa motoneige ne pourrait certainement pas gravir cette pente en partant d'un point mort. Il ne pouvait non plus faire demi-tour: sans erre, jamais il ne franchirait à nouveau le ruisseau. Malgré sa chance, il se trouvait dans de mauvais draps.

Le sourire amusé de son oncle quand il avait proposé de partir devant, lui revint en mémoire. Le trappeur, avec sa longue expérience, devait bien se douter de l'état de la glace... ou de son absence. D'ailleurs, ne l'avait-il pas prévenu? Mais le jeune homme avait voulu aller trop vite et il était maintenant bien puni de son imprudence. La nature peut être cruelle envers les impatients et les présomptueux.

Il songea aux solutions. Attendre son oncle? Son orgueil en prendrait un coup. Et puis, le suivait-il au moins? Il attendait peut-être son retour. Non, mieux valait se sortir seul de ce mauvais pas. Mais comment? En construisant un pont par-dessus le ruisseau? Il n'avait même pas une hache pour abattre un arbre, tout était resté dans le traîneau. D'ailleurs, il n'y en avait aucun à proximité immédiate. Inutile d'y songer.

Gravir la pente? Peut-être que c'était possible en déblayant la neige avec ses pieds et en parsemant le tracé de branches de sapin pour donner plus de traction à la machine. L'opération serait longue, harassante et ne résoudrait pas le problème du ruisseau à franchir pour aller chercher son traîneau.

Un claquement soudain le fit sursauter. Il leva la tête et aperçut un castor qui venait de le repérer et qui donnait l'alarme en frappant l'eau de sa large queue plate. Un éclair lui traversa l'esprit. Un castor? Il devait donc y avoir un barrage, un pont naturel quoi! Il décida de vérifier son hypothèse avant d'entreprendre quoi que ce soit.

De quel côté aller? Le ruisseau serpentait et on ne voyait pas très loin ni d'un côté ni de l'autre. Devant, le castor avait plongé puis refait surface et s'éloignait à contre-courant.

«Il retourne à sa cabane.»

Comme les Mages suivant leur étoile, il se dirigea de ce côté, empêtré dans la neige épaisse. Son raisonnement avait été impeccable: à trois cents pas, bien caché par les méandres du ruisseau, un barrage, qui lui fit l'effet d'un oasis dans le désert, reliait les deux rives de sa courbe régulière. L'eau passait libéralement par-dessus, mais au moins ce barrage présentait une surface unie, solide et assez large pour y passer à motoneige. De plus, l'accumulation d'eau en amont formait un vaste étang où le niveau constant et l'absence de courant avaient permis à la glace de se former normalement. Il la sonda à l'aide d'une perche.

«Peut-être qu'en passant rapidement, elle tiendrait le coup.»

Tout fier d'avoir trouvé deux ponts alors qu'il n'en

cherchait qu'un, il retourna chercher la motoneige. Il eut un mal fou à la dégager puis à longer la rive embroussaillée et inclinée. Parvenu au barrage, il constata que les abords trop encombrés en rendaient l'accès difficile. Il opta donc pour l'étang qu'il franchit en dix secondes, les gaz ouverts à fond et les dents serrées. Sur l'autre rive, avec un soulagement indicible, il entreprit de regagner le sentier.

Une demi-heure plus tard, il aperçut son oncle qui venait en sens inverse. Celui-ci ne posa qu'une question:

«Les ruisseaux...?»

Marc répondit avec désinvolture:

«Je me suis pas rendu jusqu'au deuxième. Mais le premier est à l'eau claire. Faut faire un détour pour traverser au barrage.»

Le trappeur parut soulagé.

«Je commençais à m'inquiéter avec le temps que tu prenais! Va accrocher ton traîneau. Autrement on arrivera pas aujourd'hui.»

Marc constata que la piste s'était grandement améliorée. Sa courte expérience lui avait appris qu'il en est toujours ainsi des pistes de motoneiges: un premier passage tasse la neige qui durcit sous le gel et chaque passage subséquent contribue à niveler les bosses, combler les trous et affermir la surface. Il rejoignit bientôt son traîneau, l'accrocha, fit demi-tour et parvint à rattraper son oncle alors qu'il venait tout juste de traverser le ruisseau et de battre une piste pour grimper la rive escarpée. Avec la vitesse acquise sur l'étang et sur une piste où la neige était déjà tassée, Marc gravit la rive sans même mettre pied à terre.

«J'ai vu ta trace. Tu l'as sauté?»

La question, neutre dans sa formulation, contenait dans son ton tous les accents de la curiosité, du reproche et de l'admiration. Marc haussa les épaules.

«J'ai pas eu le choix. J'arrivais trop vite.»

Le vieux trappeur fronça les sourcils.

«J'ai déjà entendu dire que ça pouvait se faire, mais je l'ai jamais essayé moi-même. Prends pas tant de risques. Une bonne journée, ça va te jouer des mauvais tours.»

Le sujet était clos. Marc savait qu'on n'y reviendrait plus. Un peu honteux de sa légèreté et assez fier de son exploit, il reprit sagement la route derrière son oncle.

Le deuxième ruisseau posait le même problème que le premier. Les deux hommes prirent le temps de construire un pont de fortune. Avec une scie mécanique et à deux pour transporter les troncs, il ne fallut que vingt minutes. Ils traversèrent en toute sécurité. Par la suite, l'avance fut plus rapide, le terrain étant plus plat. Pourtant, à Marc, le trajet semblait une interminable succession de bosquets de trembles, de savanes aux épinettes rabougries, de cédrières et de marais. Ils pénétraient dans cette région des terres basses de la baie James où la taïga cède la place à la toundra arctique. Plat et argileux, le terrain retient l'eau comme une éponge et, sauf aux abords des cours d'eau mieux irrigués, ne supporte qu'une végétation maigre et sporadique.

Il faisait déjà nuit quand ils atteignirent le lac MacGregor. La neige avait cessé de tomber et la température s'abaissait rapidement. Marc s'attendait à trouver le camp d'hiver au bord du lac. À sa grande surprise, son oncle se dirigea résolument sur la surface glacée. Après son expérience au ruisseau, l'apprenti ne faisait plus confiance à la glace mais il n'avait pas d'autre choix que de suivre.

Sans obstacle sur leur route, les motoneiges filaient à vive allure, soulevant un nuage de poudre fine que le vent rabattait en dunes minuscules. Marc s'était baissé pour profiter de la protection du pare-brise. Il eut soudain conscience que sa machine s'inclinait comme si elle montait une pente. Pourtant, c'était impossible sur la surface du lac. Une horrible pensée lui traversa l'esprit :

«La glace plie!»

Il se dressa comme un ressort sur les marchepieds. Dans la lumière du phare, il vit clairement la glace ployer sous l'arrière de la machine qui le précédait. Son attention fut attirée par la couleur de la neige dans sa trace. Son sang ne fit qu'un tour. Devant lui la piste se remplissait d'eau!

Il pencha résolument de côté pour quitter la piste, le cœur battant à tout rompre. S'il fallait que la glace cède au beau milieu du lac et en pleine obscurité! Il se crut perdu. Pourtant, son oncle filait toujours devant, imperturbable. Ils continuèrent ainsi pendant encore cinq minutes au cours desquelles Marc attendait avec horreur le craquement qui lui annoncerait sa fin. Mais rien ne se produisit et il aborda la rive opposée. La motoneige de son oncle était déjà arrêtée devant une cabane basse.

«Nous voilà rendus, annonça le trappeur avec satisfaction. Veux-tu nettoyer les machines pour pas que la *slush* gèle pendant que je vas faire du feu?»

Marc n'était pas remis de ses émotions.

«Vous avez vu la glace?

— Qu'est-ce qu'elle a la glace?

— Elle pliait, puis y'avait de l'eau dans votre trace!

— C'est normal. Ça plie toujours un peu de la glace. La pesanteur de la neige la fait caler alors l'eau monte dessus. Aucun danger. S'agit juste de pas s'arrêter parce qu'on peut pus repartir.

— Vous êtes certain que la glace était solide?

— Certain. Si j'avais pensé qu'y'avait du danger, j'aurais contourné le lac.»

Puis il ajouta d'un ton protecteur:

«Apprends à pas trop te fier aux apparences mon gars. T'as fait que'que chose de ben plus risqué que ça aujourd'hui...»

Il se dirigea vers la porte mais, avant d'entrer, se retourna vers son neveu.

«Justement, on va avoir besoin d'eau. Prends la hache

pis retourne faire un trou dans la glace. Tu me diras ensuite si elle est assez épaisse à ton goût.»

Après avoir bûché pendant cinq minutes pour obtenir un trou assez grand pour y puiser, Marc lui donna tout à fait raison. Cette glace-là pouvait porter bien plus qu'une simple motoneige. Il avait appris une autre leçon: se méfier de la glace aux endroits où elle est minée par le courant et faire confiance à celle des surfaces calmes. Rassuré, il rentra à la cabane.

Mal éclairée par un pauvre fanal, sale et encore froide, elle n'était pas très accueillante. Elle parut minuscule à Marc, dont l'air dégoûté fit sourire son oncle occupé à dérouler les sacs de couchage auprès de la fournaise.

«Tu t'attendais pas à un château quand même? Dans une heure y va faire chaud. Demain on fera le ménage. Les souris pis les araignées se sont pas mal amusées pendant l'été. T'as apporté de l'eau?»

Marc tendit le seau. Le trappeur rinça sommairement une vieille poêle à frire en fonte, y mit un peu de beurre et entreprit de faire frire des tranches de viande d'orignal. Marc commençait à en avoir assez de ce menu, celui d'au moins un repas sur deux depuis le début de la chasse.

«On pourrait ouvrir une boîte de fèves au lard?

— Si tu veux. Moi, j'sus pas trop fort sur les *bines*.»

Les fèves au lard, gelées en bloc pendant le voyage, s'effondrèrent bientôt sous l'action de la chaleur aidée de quelques bons coups de poignard. À côté, la viande grillait et l'eau bouillait pour le sempiternel thé. Marc suivait le réchauffement du camp sur les murs où la ligne de frimas s'abaissait lentement. Le souper expédié, l'oncle proposa:

«Le mieux à faire, c'est de nous coucher. Demain, on a une grosse journée.»

Marc sourit malgré lui: son oncle répétait la même phrase tous les soirs. Le plus drôle, c'est qu'il avait toujours raison. Le jeune homme songea qu'il ne l'avait jamais vu perdre plus de dix minutes d'affilée. Il était toujours en mouvement, occupé à préparer, réparer, confectionner, planifier ou organiser quelque chose. Instinctivement, il le compara à son père qui passait des heures assis devant un journal qu'il ne lisait même pas. Lui-même, en ville, restait des soirées entières devant la télévision et gaspillait le plus clair de ses vacances à se demander ce qu'il pourrait bien faire. Dieu merci, il n'avait plus ce dilemme depuis septembre. On arrivait à Noël. Il se demanda comment on célébrait les fêtes dans le Nord.

«C'est pas les sapins qui manquent.»

Il vit des arbres décorés, des forêts complètes couvertes d'ampoules multicolores. Il s'était endormi.

VI

«C'est payant la trappe?»

L'oncle Édouard arrêta un moment de mastiquer, puis avala avec effort la bouchée insuffisamment mâchée et but une gorgée de café pour la faire descendre avant de répondre:

«Non. Je fais moins que je faisais y'a dix ans. Avec les prix de tout qui montent, excepté celui des fourrures, je me demande même si je devrais pas lâcher.»

Il eut un geste de mauvaise humeur. Marc comprit qu'il avait abordé un sujet brûlant, ce qui aviva son intérêt.

«Mais pourquoi?

— Dans les villes, y'a des groupes qui se sont formés pour protester contre le sort qu'on fait aux pauvres petits animaux. Y pensent pas aux pauvres diables qui essayent de gagner leur vie avec ça! Y pensent pas non plus que leur manteau de cuir, y vient d'un animal pis le steak qu'y mangent aussi. Y font passer des annonces pour que les gens arrêtent d'acheter de la fourrure. Les prix arrêtent pas de baisser...

— Ça c'est vrai. J'ai vu une annonce comme ça à la télévision. C'était une femme qui dansait en manteau de vison. Tout d'un coup, le sang se mettait à couler du manteau. C'était écœurant à voir...

— Tu vois ce que je disais. L'année passée, j'ai eu 28 $ en moyenne pour le castor. Y'a cinq ans, j'ai eu jusqu'à 42 $. Pis c'est pareil pour la martre, le vison, le lynx pis le reste.»

Marc avait déjà entendu la rengaine d'autres sources. À la réserve, le prix des fourrures faisait l'objet de la même surveillance angoissée que la cote de la bourse à Wall Street. Il voulait quand même en savoir plus long et décida que le meilleur moyen, c'était de provoquer.

«Vous pensez pas qu'ils ont quand même un peu raison?»

L'effet fut immédiat.

«Tu trouves ça toi? Voyons don! C'est la nature qui est faite comme ça. Les mulots mangent des graines. Les belettes attrapent les mulots. Les renards pis les loups mangent les belettes, pis nous autres on prend les loups, les renards pis les belettes. On élève des veaux, des poules pis des cochons exprès pour les manger. Pourquoi ça serait pas pareil pour les animaux sauvages?

«Pis la pollution, ça en tue pas d'animaux sauvages ça, tu penses? Les bateaux pleins d'huile qui défoncent sur les roches, la fumée des usines qui tue même les arbres? Y'a probablement plus d'animaux tués par les voitures que par les trappeurs. Mais, quand c'est les gens des villes qui le font, ça c'est normal, c'est permis!»

Le vieux trappeur s'était animé. La voix forte et le geste large, il défendait ses droits devant ce petit citadin avec la même conviction profonde qu'il l'aurait fait devant le Parlement.

Jamais Marc ne lui avait entendu prononcer un aussi long discours. Il lui trouva d'ailleurs assez d'éloquence.

«Fâchez-vous pas! Je voulais juste savoir ce que vous en pensiez. D'ailleurs, je suis pas mal d'accord avec vous.»

Le trappeur se calma assez longtemps pour avaler une autre gorgée de café refroidi.

«Si y'a quelqu'un qui nuit à la nature, j'ai pas l'impression que c'est nous autres les trappeurs. Ça fait des siècles qu'on trappe pis qu'on chasse pis les animaux sont encore là. S'agit juste d'être raisonnables. Les Indiens ont toujours su ça. Y serait grand temps que les Blancs l'apprennent. On peut vivre de la nature à condition de vivre avec elle. On peut attraper un certain nombre d'animaux sans que ça paraisse. Le problème c'est quand on veut tout prendre en même temps.»

Marc pensait aux forêts de l'Amazonie en train de brûler et, avec elles, aux milliers d'espèces menacées d'extinction. Même tout près d'eux, il avait pu constater l'érosion dans ces bûchés où se pratiquait la coupe à blanc. Cette destruction systématique de l'habitat naturel des animaux, on la nommait développement ou progrès. Et dans un même souffle, on accusait la chasse et la trappe, des activités aussi vieilles que l'être humain lui-même et dont la nature a toujours su s'accommoder. De tous temps, l'être humain s'est placé au sommet de la pyramide des êtres vivants, mais il faisait toujours partie d'elle. Et voilà qu'au XXe siècle, fort de sa technologie, il veut s'en séparer, prétend n'avoir plus besoin de ses ressources et refuse de lui rendre des comptes.

Comme s'il lisait les pensées de son neveu, le trappeur ajouta d'un air pensif:

«La trappe, faut pas la supprimer. Faut apprendre comment la pratiquer pour pas faire de dommages.»

Il repoussa son assiette d'un air bourru.

«En v'là des façons de commencer une journée en placotant. Viens, on a de l'ouvrage à faire.»

Ils commencèrent par l'aménagement du camp, enlevèrent les toiles d'araignée et les nids de souris, déballèrent la batterie de cuisine et les provisions. Marc avait en main six livres de beurre et deux paquets de bacon qu'il allait poser sur une tablette quand il entendit son oncle dire:

«Mets ça au congélateur.»

Il le regarda sans comprendre.

«Dehors à côté de la porte, une grande boîte en bois. Remets la roche sur le couvercle après pour pas que les belettes rentrent.»

Comme Marc allait s'exécuter, le trappeur ajouta:

«Ce congélateur-là au moins, y fait pas de trous dans la couche d'ozone.»

Marc sortit en se disant que son oncle était beaucoup mieux renseigné qu'il ne l'avait cru.

Une heure plus tard, le camp convenablement installé, ils partirent entreprendre la pose des pièges. Le camp était situé au centre du territoire. De là, une piste en forme de boucle partait dans chaque direction. Chaque jour le trappeur visitait un circuit de sorte qu'en quatre jours, il avait fait le tour de tous ses pièges. Il trappait surtout le castor et la martre mais attrapait à l'occasion un rat musqué — gibier peu prisé — dans un piège à castors et un vison ou une belette dans un piège à martres. On tendait exceptionnellement un piège pour le lynx, le loup ou le renard.

Pour piéger le castor, il s'agissait d'abord de trouver les barrages et les huttes, d'en localiser la porte d'entrée, toujours située sous l'eau, et d'y placer un piège. Celui-ci était constitué de deux tiges de métal recourbées, reliées entre elles par un fort ressort qu'on tendait en écartant les tiges. Un mécanisme simple mais ingénieux maintenait le piège en position ouverte. Sensible au moindre choc, il permettait aux tiges de se refermer brusquement lorsque l'animal entrait ou sortait de son logis. Placé directement dans l'ouverture de la cabane, le piège happait le castor par le tête, le cou ou la poitrine. Il lui broyait le crâne ou l'étouffait promptement.

«C'est des nouveaux pièges que j'utilise depuis deux ans, expliqua le trappeur. Avant, on posait le piège à plat devant la porte et on prenait le castor par la patte. Y se noyait ou y mourait à force de se débattre. Des fois, y réussissait à se ronger la patte pour se déprendre. Avec rien que trois pattes, y devait mourir quand même à la longue mais on le perdait. Aujourd'hui, y meurt sur le coup. Pas d'animaux blessés pour rien. C'est peut-être moins efficace, mais c'est plus humain.»

Il parlait avec fierté, conscient de mettre ses principes en pratique. Marc ne comprenait pas.

«Pourquoi vous dites que c'est moins efficace? Ça devrait l'être plus si y'a pas de castors qui s'échappent.»

Le trappeur hocha la tête en signe de dénégation.

«Placé comme ça, le piège est plus visible. Y l'évitent ou y le déclenchent sans se faire prendre. Y sont loin d'être fous tu sais.»

Quant aux pièges à martres, les trappeurs les posaient dans les arbres, à hauteur d'homme, partout où l'abondance des traces le justifiait. Le piège lui-même, assez semblable au précédent quoique plus petit, était enfermé dans une cage en treillis métallique munie d'une porte battante lestée d'une pierre. Il était appâté pour l'instant d'un morceau de viande d'orignal. Plus tard, les victimes dépouillées serviraient à leur tour d'appâts.

«Tu vois, fit remarquer le trappeur en tendant le ressort, la grosseur de la cage est calculée juste pour la martre, le vison ou la belette. Les animaux plus gros peuvent pas entrer dans la cage pis les plus petits parviennent pas à ouvrir la porte. Autrefois, on prenait toutes sortes d'oiseaux ou d'animaux qu'on voulait pas avoir : des écureuils, des pies, des corneilles, des souris. Même quand on avait la chance de pogner une martre, souvent un renard ou un lynx venait la manger pis tout gâcher la peau. Aujourd'hui, pas de gaspillage.»

Marc admira.

«Donc, rien que des avantages?»

Son oncle se rembrunit.

«C'est loin d'être le cas. On prend aussi la moitié moins de martres. J'ai l'impression que souvent elles sentent l'appât, viennent rôder autour de la cage mais trouvent pas la porte. C'est le prix qu'on paye pour respecter l'environnement. Y pourraient au moins nous payer nos fourrures un prix raisonnable, non?»

Marc ne put qu'acquiescer. D'ailleurs, il avait un intérêt personnel dans le prix des fourrures. Son oncle l'avait payé à chacune des expéditions de chasse, il avait accumulé un petit magot et, s'il parvenait à faire un peu d'argent avec la trappe, il comptait s'offrir une carabine bien à lui, peut-être même une motoneige ou un véhicule tout terrain. Il en avait vu plusieurs à la réserve au cours de l'automne et rêvait depuis d'en posséder un. Quand il en avait parlé à l'oncle Édouard, celui-ci avait répliqué d'un ton sarcastique qu'il s'agissait là de «bébelles pour les paresseux». Mais le jeune homme soupçonnait fort qu'il affectait ce mépris pour ces machines parce qu'il n'avait pas les moyens de s'en payer une et qu'au fond, il mourait d'envie d'en faire l'acquisition. D'autant plus que tante Rosa avait regardé son mari d'un drôle d'air et remarqué :

«Tu disais ça y'a vingt ans des motoneiges. Aujourd'hui, t'en as deux...»

Marc songea que trapper sans motoneige, c'était devenu impensable. Et que ne ferait-on pas avec un véhicule tout terrain? Il pensa au repérage des pistes l'automne dans les bûchés, à l'exploration de nouveaux terrains de chasse ou de trappe, au transport du matériel et de la venaison... Mais pour cela, il fallait de l'argent. Aussi avait-il hâte de vérifier le rendement des pièges.

À son grand dépit, il dut patienter encore trois jours, le temps de finir la pose des pièges sur les autres circuits. Le matin du quatrième jour, il était le premier levé et tout habillé, guettait les progrès de la clarté par les carreaux givrés de l'unique fenêtre. Peu habitué à tant d'empressement de sa part le matin, son oncle dut refréner un peu son ardeur.

«Prends ton temps. Les castors pis les martres se sauveront pas des pièges. On va toujours commencer par déjeuner.»

Pour n'avoir pas de vaisselle à laver, Marc se contenta de pain grillé sur la braise et de confitures.

Enfin, l'oncle donna le signal du départ. Le premier problème c'était de retrouver les pièges. Il y en avait une cinquantaine par circuit, plus de deux cents en tout. Même avec une mémoire d'éléphant, impossible de se rappeler exactement où chacun avait été posé. Ils pouvaient se fier aux traces qu'ils avaient laissées mais souvent une neige fraîche ou la poudrerie les avaient effacées. Pour cette raison, le trappeur avait toujours en sa possession un rouleau de ruban rouge. Il attachait un bout de ruban à un arbre à la hauteur des yeux, en bordure de la piste, à proximité de chaque piège. Mais même avec cette précaution, il arrivait souvent qu'après avoir repéré le ruban, on doive encore chercher le piège un bon moment. Plus tard, quand ils auraient fait la tournée plusieurs fois, l'habitude aidant, ils les retrouveraient plus facilement.

Une fois devant un piège à martres, ils vérifiaient la position de la cage, de la détente et le jeu de la porte. Ils remplaçaient l'appât par un autre plus frais et passaient au suivant. Si le piège contenait une capture ou si le dispositif était déclenché, il fallait le tendre à nouveau. Devant les pièges à castors — et ils étaient en plus grand nombre — la procédure était plus longue et surtout plus désagréable. Il fallait d'abord briser la glace à la hache puis plonger la main nue dans l'eau glacée tout en prenant bien soin de ne pas la fourrer dans le piège : le ressort est assez puissant pour fracturer le crâne d'un castor... ou une phalange imprudente. Ensuite, même procédé : dégager la proie s'il y a lieu et tendre le piège de nouveau avant de continuer la tournée.

Marc fut ébahi de la taille des castors: un adulte peut peser jusqu'à trente kilos.

«T'imagines, disait son oncle, quand on faisait la tournée en raquettes pis qu'on rentrait avec cinq ou six de ces animaux-là?

— Étiez-vous capable de les emporter?

— Fallait ben. Le truc, c'était de coucher le premier sur le dos et de lui passer une corde en nœud coulant autour du cou. On attachait le deuxième sur la queue du premier, le troisième sur le deuxième et ainsi de suite, autant qu'y en avait. On se mettait la corde sur l'épaule pis on les traînait en arrière. C'était réchauffant comme exercice.

— Avouez que c'est moins dur de les mettre sur le traîneau puis d'embarquer sur la motoneige. Le progrès, ç'a pas juste des inconvénients.

— Peut-être mais au moins dans ce temps-là, on les vendait un bon prix. À part de ça, ça coûtait pas cher de mécanique.»

Un peu plus loin, décrochant une nouvelle prise, le trappeur parut revenir à un état d'esprit plus positif.

«J'en prends jamais plus que quatre ou cinq par cabane pendant une saison. Faut en laisser pour la reproduction si on veut revenir l'hiver suivant.»

Vers seize heures, ils revenaient au camp avec cinq castors et trois martres. Le trappeur ne cachait pas sa satisfaction. Marc se dit que les journées de travail seraient plutôt courtes et les soirées longues dans la petite cabane sans télévision, sans voisins et sans aucune espèce de distraction. Mais il se trompait lourdement.

Après avoir avalé deux tasses de thé, l'oncle Édouard posa une planche sur la table et sortit son poignard de sa gaine.

«Assez perdu de temps. Au travail. Apporte-moi le premier castor.»

Il se mit à l'œuvre en commençant par une longue

incision sur le ventre de l'animal dont il détachait la peau avec précaution.

«Faut surtout pas faire de trous. Ça enlève de la valeur. Y'en ont pas trop d'avance.»

Il dégagea les pattes et même la tête pour ne rien perdre de la précieuse fourrure. Quand il eut fini, il déposa la peau de forme ovale à l'envers et à plat sur la table et montra à Marc comment la gratter à l'aide d'un couteau pour enlever la graisse. Puis il s'attaqua au deuxième castor.

«Qu'est-ce qu'on fait des carcasses?

— On les vide et on en met une au feu pour souper. Les autres vont servir d'appâts pis on va en ramener quelques-unes à Rosa. Mets-les au congélateur.»

À mesure que Marc avait fini de dégraisser une peau, il la mettait de côté, croyant en avoir terminé. Mais il fut vite détrompé.

«C'est pas fini mon gars. Faut encore les étendre.»

Il pointa du doigt des cerceaux de bois plantés de clous dont la tête dépassait.

«Tu fais des petits trous tout alentour de la peau. Tu passes une ficelle dedans. Tu étends la peau dans le cerceau pis tu accroches la ficelle aux têtes des clous. Tu la raidis pis tu l'attaches.»

Vers vingt heures, ils interrompirent la besogne pour manger. Le camp ressemblait au bloc opératoire d'un hôpital militaire un soir de grande bataille. De plus, une odeur fétide y flottait. Marc mangea du bout des lèvres. La viande de castor n'avait pas mauvais goût mais l'ambiance laissait trop à désirer.

Aussitôt après souper, ils s'attelèrent de nouveau à la tâche. Après les castors, ils passèrent aux martres. C'était assez semblable mais en plus petit. De plus, le trappeur ne taillait pas la peau sur le ventre mais l'arrachait plutôt des membres inférieurs vers la tête en faisant une incision aux pattes de devant. La fourrure ainsi obtenue ressemblait à un fourreau qu'on tournait à l'envers pour dégraisser le cuir et qu'on distendait ensuite sur des planchettes en biseau.

Quand tout fut terminé, il était près de minuit. Adieu les longues soirées oisives que Marc avait à la fois souhaitées et redoutées.

«Reste rien qu'à se laver et à se coucher. On a une bonne journée à faire demain.»

Le trappeur regarda dans le seau.

«Y'a presque pus d'eau. T'irais pas en chercher? De toute manière, faut en avoir pour le café demain matin. En passant, rentre un peu de bois pour pas en manquer durant la nuit.»

Marc enfila son parka, ses mitaines et ajusta son capuchon. La hache d'une main et le seau de l'autre, il poussa la porte de l'épaule. L'air froid le frappa en plein visage. Son haleine, à chaque exhalaison, fusait comme une fumée dans la nuit claire pour revenir se poser sur les poils fous de sa moustache naissante. Il entendit du bruit dans les buissons. Peut-être une belette, un renard ou un loup avait-il flairé l'odeur des carcasses fraîches. Au loin, comme pour confirmer le pire de ses soupçons, un loup en mal de compagnie hurlait sa plainte lugubre. Marc frissonna. Puis, sans plus y accorder d'importance, il descendit au lac pour percer la glace et puiser de l'eau.

Au firmament, la lune entourée d'étoiles vacillantes répandait sur la neige sa clarté bleutée. Vers le nord, comme une draperie de lumière mouvante, l'aurore boréale agitait ses faisceaux. Marc s'arrêta un moment pour contempler la grandeur du spectacle, fasciné par la beauté sauvage du ciel en mouvement contre l'immobilité totale de la neige figée dans sa froidure.

Puis, presque à regret, il rentra, le seau au bout du bras, la hache sous l'aisselle et les bûches sur l'autre bras. En même temps que lui, une buée s'engouffra dans le camp, rampant sur le plancher pour venir mourir contre la fournaise. Encore sous l'effet de sa contemplation, il remarqua:

«Une belle nuit claire et froide.

— Tant mieux, répliqua son oncle. Les animaux vont circuler.»

VII

On était loin de chômer sur la ligne de trappe. Chaque matin, dès l'aube, les trappeurs partaient faire la levée des pièges, parfois ensemble, mais le plus souvent séparément, car ils avaient convenu d'ajouter des pièges et d'allonger les circuits, vu qu'ils étaient deux à se partager la tâche. Certains matins, quand l'abondance des prises les avait empêchés d'en terminer l'écorchage la veille, l'oncle restait au camp et laissait Marc partir seul en tournée. Comme il l'avait expliqué à son neveu:

«Plus on a de pièges, plus on en pogne. Mais c'est pas toute. Faut encore les pleumer.»

Pourtant, il se félicitait intérieurement de l'excellence du rendement, qui doublait presque celui de l'hiver précédent et ferait plus que compenser la faiblesse du marché et la baisse des prix.

De son côté, Marc adorait ces longues randonnées solitaires où il jouissait d'une liberté telle qu'il n'en avait jamais connue auparavant. Rarement pressé, il pouvait en profiter pour explorer le territoire et sa faune. Chaque jour apportait son lot de découvertes: un vol de perdrix blanches qui se précipitaient du haut d'un arbre pour s'enfouir sous la neige et y passer la nuit bien au chaud; un ravage d'orignaux dont les sentes bien battues permettaient aux grands mammifères de se déplacer avec aisance malgré l'épaisseur de la neige et de faire face aux prédateurs; une ouache d'ours bien camouflée dont l'occupant ne sortirait qu'au printemps. Tout dans cet univers vierge et glacé l'émerveillait. Revenu au camp, il ne tarissait pas de questions et emmagasinait les réponses comme un écureuil les glands.

Pendant les grands froids de janvier et de février, les chutes de neige se firent plus rares. Les pistes, bien entretenues par de fréquents passages et durcies comme roc par le gel, étaient en excellent état et ne lui causaient aucun problème. Marc redoutait bien un peu les problèmes de mécanique, les courroies qui sautent, les bougies qui refusent de faire feu, mais l'expérience de son oncle avait pourvu aux pièces de rechange, aux outils et aux directives sur les réparations. Sa propre débrouillardise faisait le reste. Il avait appris en le faisant qu'il est possible de coudre une chenille déchirée avec du fil de fer, de remplacer un boulon sectionné par un clou crochi et de continuer la tournée sur un unique ski après avoir échangé l'autre, tordu, contre une branche courbée maintenue en place avec du fil de fer.

«Tu peux tout oublier excepté la hache, la broche et les pinces, lui répétait souvent son oncle. Avec ça, tu peux arranger quasiment n'importe quoi.»

Ces réparations de fortune avaient évité au jeune homme bien des heures de marche, lui avaient permis de terminer la tournée en dépit des avaries et, par-dessus tout, lui avaient donné confiance en lui-même et en ses moyens.

Il avait aussi appris à se prémunir contre le froid trop intense en portant le lourd survêtement d'hiver communément appelé «ensemble de skidoo», à toujours mettre des sous-vêtements et des bas de laine secs et à enfiler un passe-montagne. Cet accoutrement le rendait plus gauche mais lui permettait de braver impunément des températures inférieures à quarante degrés sous zéro. Il n'en prenait pas moins le temps de se réchauffer les mains au moteur de sa motoneige après les avoir plongées dans l'eau et demeurait constamment attentif aux signes avertisseurs du gel, aux picotements, aux engourdissements et au retrait du sang dont on lui avait dit de se méfier. À la moindre alerte, il s'arrêtait, faisait du feu et se réchauffait avant de repartir.

La routine n'était interrompue que durant les fins de semaine. Le samedi matin, les trappeurs chargeaient sur les traîneaux les fourrures réunies en ballots, plusieurs carcasses de castors gelées raides, les sacs bourrés de vêtements destinés au lavage et ils prenaient le chemin de la maison. Tirant des charges modestes sur une piste bien battue, ils franchissaient la distance en deux heures à peine. Le reste de la journée du samedi se passait à faire les courses. Ils s'accordaient le dimanche un congé dont Marc profitait invariablement pour visiter ses amis à la réserve. Et le lundi matin, ils repartaient vers la ligne de trappe, emportant des bidons d'essence, des pièces de rechange, des vêtements propres, des provisions — à garder loin de l'essence pour qu'elles n'en prennent pas la saveur — et quelques gâteries que tante Rosa ne manquait jamais de glisser dans leurs sacs.

Aussitôt revenus, ils s'empressaient de visiter les pièges. La levée, toujours plus abondante ce jour-là et commencée plus tard, se terminait bien après le crépuscule, de sorte que le mardi matin, Marc partait seul vers le bois pendant que son oncle terminait l'écorchage.

Plusieurs fois, autant pour accélérer le travail que pour se faire la main, il s'était exercé à cette tâche délicate sous l'œil vigilant de son mentor. La première fois, il avait mis plus de deux heures à dépouiller un castor de sa fourrure, laquelle était d'ailleurs en fort piteux état, criblée d'entailles et parsemée de chairs attenantes. Pourtant, à chaque nouvelle tentative, sa dextérité et sa rapidité augmentaient. Il s'aperçut qu'il avait maîtrisé cet art difficile le soir où son oncle cessa de lui refiler les bêtes les plus vilaines, de lui affûter son couteau et de surveiller ses moindres gestes par-dessus son épaule. À partir de ce moment-là, il osa faire quelques observations sur la qualité des fourrures et leur valeur d'après leurs dimensions, la teinte ou la longueur du poil et la façon dont elles avaient été apprêtées. Au début, son oncle s'en amusait et, pour le contredire, lui faisait remarquer quelque autre caractéristique, une malformation de l'animal, un manque d'uniformité du poil ou une infestation de parasites. Cette amicale rivalité tourna bientôt au jeu: chacun inscrivait le prix auquel il estimait chaque fourrure et, à la fin de la semaine, en faisait le total. Le samedi, au magasin de la compagnie de la Baie d'Hudson où ils apportaient le ballot, un employé, expert en la matière, évaluait soigneusement chaque peau et leur remettait un chèque. Celui qui était arrivé le plus près du montant du chèque remportait le gros lot: une exemption des corvées de l'eau et du bois pendant la semaine suivante. À vrai dire, le gagnant ne remportait pas grand'chose parce qu'il devait alors préparer le souper. Mais ils jouaient quand même pour le plaisir et, le vieux trappeur le savait bien, parce que ce jeu révélait à l'apprenti une autre facette du métier.

Les premières semaines, Marc tira plus que sa part d'eau et enfila souvent son parka pour aller chercher du bois de chauffage. Mais, avant la fin de janvier, il réussit à éviter ces corvées pendant deux semaines d'affilée. Il prit alors un malin plaisir à faire remarquer que le seau était vide et que la petite pile de bûches ne durerait pas la nuit.

Les fêtes dont Marc avait redouté la venue, craignant d'être plongé dans la nostalgie, étaient en fait passées presque inaperçues. Son oncle lui avait offert un poignard tout neuf dans une gaine de cuir, sa tante des mitaines de peau d'orignal et curieusement, la jeune Mona, la sœur de Jim et Éric, lui avait donné une paire de mocassins bordés de fourrure de belette et ornés de pierres fines. Pour ne pas être en reste, parce qu'elle lui plaisait bien et que son geste l'avait touché, Marc lui avait gauchement donné en retour une de ses plus belles peaux de vison dont elle déclara qu'elle ferait un bonnet. Aux yeux des proches, ce simple échange de cadeaux prit l'allure d'une déclaration. Son oncle disait à Marc en parlant d'elle «ta blonde» et sa tante *«your girl»*. Marc protesta faiblement les premières fois puis accepta en se disant qu'il ne leur en fallait pas beaucoup pour sauter aux conclusions. Il n'avait pas tort d'ailleurs: dans un monde où le cercle des relations est aussi restreint, la moindre déviation de la norme devient significative.

Pour le reste, les réjouissances avaient été plutôt simples et Marc s'était aussitôt replongé dans le travail, le meilleur remède contre la nostalgie, le cafard ou l'ennui. Malgré ses bonnes intentions antérieures, il avait repris le chemin de la ligne de trappe plutôt que celui de l'école en se disant qu'une année sabbatique lui faisait du bien, que ce n'était que partie remise, qu'ainsi il gagnait sa vie et n'était une charge pour personne et que l'expérience vaut bien des théories. Au fond, il le faisait parce qu'il avait envie de le faire.

Janvier s'écoula ainsi puis février. Le travail demeurait toujours le même et aurait pu devenir monotone si les conditions n'avaient pas autant varié. La neige s'accumulait au sol en une couche, granuleuse comme du sucre, d'un mètre et demi d'épaisseur. Comme aucun doux temps n'était venu en altérer la consistance et former une croûte, les hommes et les machines s'y enlisaient dès qu'ils quittaient les sentiers battus.

«La neige a pas de fond cet hiver», disait le trappeur.

Pendant ces deux mois, les vagues de froid s'étaient succédées à un rythme régulier. Le matin du 7 février, le thermomètre était descendu jusqu'à quarante-six degrés sous zéro. Pourtant la rigueur des conditions climatiques n'entravait que fort peu la bonne marche du piégeage. Elle augmentait la somme de travail requise mais ne l'empêchait pas. Par exemple, il fallait une pelle pour dégager l'espèce d'entonnoir qui donnait accès aux huttes de castors et aux pièges. Le principal problème survenait lorsqu'on décidait de déplacer un piège vers une autre cabane, soit que l'ancienne eût déjà fourni son quota ou qu'au contraire, elle ne donnât rien du tout. Il fallait alors tracer d'autres pistes, localiser la hutte complètement ensevelie et en atteindre l'ouverture sous la neige et la glace.

Cet état de choses avait aussi des avantages: le froid rendait les fourrures soyeuses et les animaux, les belettes et les martres surtout, affamés par ces conditions rigoureuses qui les empêchaient de chasser normalement, se jetaient littéralement sur les appâts. Même les loups et les lynx se rapprochaient malgré leur répugnance et, poussés par la faim, se laissaient parfois tenter par les carcasses qui leur étaient destinées. Leur fourrure constituerait un apport non négligeable aux revenus de l'hiver.

En mars, une violente tempête s'éleva. Les deux trappeurs restèrent encabanés pendant trois jours. Marc commençait à trouver le temps long, le camp triste et l'hiver interminable. Son oncle faisait des cerceaux pour tendre les fourrures, réparait des pièges et des raquettes, mais Marc s'ennuyait.

Pourtant, la fin du mauvais temps approchait. Le froid diminuait d'intensité et les journées s'allongeaient. Dès qu'il reprit ses activités, le jeune homme retrouva sa bonne humeur et oublia ce désagréable intermède où il s'était senti envahi à nouveau par le dégoût. L'action lui était devenue indispensable.

Le 13 mars, en revenant d'une tournée, Marc fut surpris de ne pas retrouver son oncle au camp. Sans s'étonner outre mesure, il commença seul le dépouillage des prises, assez abondantes ce jour-là. Le soir tomba, l'obscurité s'épaissit et l'inquiétude s'empara du jeune homme. Où son oncle pouvait-il être? Il n'avait pu aller très loin, sa motoneige était toujours stationnée devant la porte. S'emparant d'une lampe de poche, Marc décida d'aller à sa recherche.

Aux abords du camp, les traces de pas étaient nombreuses mais le vent avait soufflé en rafales toute la journée et aucune n'avait l'air fraîche. Même celles qu'il avait lui-même faites en rentrant étaient déjà à demi remplies. Il s'avança au hasard derrière le faible rayon de la lampe dans lequel le vent soulevait des tourbillons de poudrerie. Le vent avait beau jeu car l'endroit était assez dégagé depuis le temps que le trappeur y abattait les plus gros arbres pour en faire du bois de chauffage. Tout alentour, les souches faisaient des bosses allongées comme des comètes dont la queue s'étirait dans la bourrasque.

Souches, bois de chauffage? Il eut une idée soudaine. Son oncle n'avait ce jour-là que deux castors et une martre à dépouiller. Il avait dû finir tôt. Il avait très bien pu en profiter pour aller couper du bois. Il aimait bien en avoir une réserve suffisante pour un an à l'avance afin de toujours chauffer au bois sec. Il en faisait un peu tout au long de l'hiver quand il en avait le loisir et le cordait sur place en attendant que la croûte du printemps en facilite le transport.

Si c'était le cas, il avait dû se diriger vers le coteau où il avait déjà commencé la semaine précédente à abattre des bouleaux. Le cœur battant, ralenti par la neige dans laquelle il enfonçait jusqu'au ventre, Marc s'avança vers le bosquet dont la blancheur se détachait dans la nuit. Tout à coup, il sentit sous ses pieds un appui plus ferme. Il venait de rencontrer une piste de raquettes recouverte de neige fraîche. Il la suivit tant bien que mal, faisant trois pas sur la piste puis un à côté où il enfonçait à nouveau. Il éclaira le bosquet où les bouleaux tordaient leurs longs bras maigres. Il lui sembla qu'ils étaient moins nombreux et s'avisa qu'effectivement, plusieurs arbres gisaient dans la neige, leurs branches coupées éparses autour d'eux. Il promena son rayon à la ronde et ses soupçons se transformèrent en certitude: son oncle était certainement venu dans ce bosquet au cours de la journée.

Un arbre en particulier attira son attention. Sa cime était profondément enfoncée dans la neige mais son tronc, complètement détaché de la souche, était relevé de deux mètres au-dessus d'elle. De plus, il avait encore toutes ses branches. En le voyant, le jeune homme eut un pressentiment.

«C'est pas une manière normale pour un arbre de tomber.»

Il s'approcha, fouilla la neige du rayon lumineux et du pied. Sa botte heurta un objet dur qu'il reconnut sans peine: la scie mécanique, à l'envers et à deux mètres de la souche. Son pressentiment s'accrut, le glaçant d'effroi.

C'est alors qu'il aperçut ou plutôt devina la forme humaine étendue dans les aulnages et blanchie par la poudrerie. En deux enjambées, il était près d'elle, la gorge nouée, les nerfs tendus à craquer.

«Mon oncle! Mon oncle!»

Sa voix affaiblie par l'angoisse se perdait dans la bourrasque. D'une main mal assurée, il épousseta la neige, repoussa les broussailles et le visage de son oncle lui apparut, livide, la barbe et les sourcils blancs de frimas.

Était-il mort ou inconscient? Les yeux étaient clos et Marc crut se souvenir qu'à la mort de sa mère, le médecin avait dit qu'on meurt toujours les yeux ouverts. Il enleva sa mitaine pour la glisser sous le parka et s'assurer que le cœur battait mais il retint son geste : il venait de voir une petite buée monter des lèvres bleuies par le froid.

«Il respire! Il est vivant!»

Galvanisé par l'idée que tout n'était pas perdu mais que le temps pressait, Marc se redressa comme un ressort de piège. Autant l'angoisse l'avait ligoté l'instant auparavant, autant l'espoir renaissant lui donnait maintenant des ailes. Les idées s'entrechoquaient dans sa tête comme les blocs de glace à la débâcle.

«Le traîneau. La motoneige.»

Le camp n'était qu'à cent mètres mais il n'avait pas la force d'y porter ce grand corps inerte. La motoneige s'enliserait dans cette neige sans consistance envahie de broussailles et de branches coupées. Il fallait enlever les branches, dégager les broussailles, arriver jusqu'au blessé et le glisser sur le traîneau. Et surtout, faire vite!

Il saisit la scie mécanique mais il ne pouvait en même temps la manier et tenir la lampe pour s'éclairer. Il mit la lampe de côté et, dans l'obscurité, fit démarrer la scie pour déblayer le terrain, aidé seulement par cette clarté diffuse que la neige irradie toujours, même en pleine nuit, même par temps couvert. Quand il eut fini, il déposa la scie et chercha la lampe. Il ne la voyait nulle part. Dans sa hâte, il n'avait pas fait attention où il la posait. Tant pis. Il s'en passerait. Il voyait assez pour se diriger.

Il courut vers le camp, si on peut appeler courir ces longues enjambées où il devait relever le pied à la hauteur de la taille sous peine de s'étaler de tout son long. Pendant ce temps, deux questions revenaient sans cesse le hanter. Qu'était-il arrivé? Comment son oncle avait-il été blessé? Les blessures devaient être graves puisqu'il était inconscient. Et depuis combien de temps était-il étendu là? Deux heures? Trois? Peut-être plus? Il devait être en train de geler. Le plus pressé, c'était de l'emporter à l'intérieur pour le réchauffer. Le meilleur moyen: ne pas s'énerver, agir comme s'il s'agissait d'un fardeau quelconque à transporter. S'il s'agissait de quartiers de viande, que ferait-il?

Il battrait d'abord la piste en raquettes. Sur une aussi courte distance, cela ne prendrait que cinq minutes de plus et ainsi, il ne risquerait pas d'enliser sa motoneige et de perdre un temps précieux à la dégager.

Il chaussa ses raquettes et refit le même trajet au pas de course. Près du bosquet, il décrivit une boucle assez large pour permettre à la machine de tourner. Puis, il revint sur ses pas en prenant garde de poser les pieds entre les traces précédentes de façon à tasser le plus de neige possible. Il tira la corde du vieil Élan quatre, cinq fois, pressant la manette des gaz. Le moteur toussota puis consentit à démarrer. Il soupira de soulagement: ce n'était vraiment pas le moment de le caler. Il enfourcha la machine. En moins de deux minutes il arrivait près de son oncle. Il descendit sans arrêter le moteur pour qu'il se réchauffe bien et pour conserver l'éclairage du phare. Puis il s'agenouilla près du grand corps et, passant un bras sous les épaules et l'autre sous les genoux, tenta de se redresser. La tête inerte pendait de côté. Dieu qu'il était lourd! Le traîneau était trop haut, trop loin.

«Faut que je m'y prenne autrement.»

Il se releva vivement, décrocha le traîneau, le pencha sur le côté, glissant le rebord sous le corps. Il reprit la même position que tantôt, agenouillé dans la neige, un bras sous les épaules et l'autre sous les cuisses. D'un violent coup de reins, il se redressa, faisant basculer le corps inerte qui se retrouva ainsi à plat ventre dans le traîneau penché. Il rentra les bras et les jambes et sauta sur la machine.

«Il n'a pas donné signe de vie!»

Les larmes gelaient sur ses joues mais il ne pensait pas à lui-même. Avec l'énergie du désespoir, il s'efforçait de dompter la neige, le vent, le froid et surtout, sa propre panique.

Heureusement, la pente du terrain jouait en sa faveur. En trois minutes, Marc parvint au camp avec son précieux fardeau. Pendant qu'il exécutait les gestes avec autant de précision et de rapidité qu'il le pouvait, son cerveau travaillait à vive allure, devançant l'action, analysant les alternatives et prenant les décisions qui s'imposaient. Comment transporter le blessé à l'intérieur? Sur le traîneau, bien sûr.

«À condition que la porte soit assez large...»

Le niveau ne poserait pas de problème : la neige accumulée arrivait à la hauteur du seuil.

Il décrocha le traîneau et s'y attela. Il glissait bien. Il poussa la porte de l'épaule et tira violemment. Ça passait tout juste mais ça passait. Le blessé était au chaud, enfin!

Il commença à défaire les vêtements, entrouvrit le parka, retira la casquette, les bottes et les mitaines. De la main, il tâtait les os et les muscles; des yeux, il cherchait des traces de sang. Mais il ne voyait absolument rien. Il défit les boutons de la chemise et c'est alors qu'il comprit: la poitrine et l'épaule gauche étaient marbrées de bleu. Elles avaient reçues un coup violent. Prudemment, il tâta à nouveau, l'épaule, la clavicule, les côtes.

«Au moins deux côtes cassées, l'épaule disloquée probablement.»

Des blessures graves mais rarement mortelles... quand elles reçoivent des soins à temps.

Que faire? Le transporter en traîneau jusqu'à la réserve? Il pourrait mourir de froid en chemin. Non, le réchauffer d'abord, le ranimer et, ensuite seulement, le transporter aussi confortablement que possible.

«La piste est bonne, un peu enneigée mais le fond est solide. Il faudra à peu près cinq heures sans aller trop vite. Bien réchauffé, bien abrié, il aura pas le temps de trop refroidir.»

En pensant au froid de la piste, il attisa la fournaise et y mit deux bûches. Il revint au blessé, défit ses vêtements, enleva ses bas de laine et lui toucha les pieds. Ils étaient froids mais le gel ne les avait pas atteints. Il défit la boucle de la ceinture puis scruta le visage, encore tout mouillé de frimas fondu. Il prit une serviette et l'épongea. Il lui sembla que le blessé reprenait des couleurs. Il sursauta. Une plainte faible était sortie des lèvres pâles. Le visage frémissait et le corps s'agitait en un frisson convulsif. Marc se pencha vers lui, croyant qu'il allait reprendre ses sens. Mais non, il replongea dans sa torpeur.

Marc revoyait la scène, presque comme s'il y avait assisté. Le gros bouleau s'inclinait et, avec un craquement sec, tombait. Dans sa chute, il heurtait un rocher, plus près de la souche que du faîte. La cime, plus lourde, continuait sa trajectoire mais, dans un gigantesque mouvement de levier, imprimait au pied une brusque secousse vers le haut. Le bûcheron, encore penché sur sa coupe, recevait en pleine poitrine ce gargantuesque coup de bâton qui le projetait dans les buissons, lui d'un côté, sa scie de l'autre. Sous la douleur, le souffle coupé, il perdait connaissance.

Lui faire reprendre conscience. Si seulement il avait un cordial...

«Mais j'en ai un!»

Le trappeur gardait toujours une bouteille de brandy dont il usait avec parcimonie, la réservant pour le cas où la glace céderait sous lui.

Marc eut vite fait de la trouver. Dévisser le bouchon, soulever la tête, introduire le goulot entre les lèvres et faire couler quelques gouttes, ce fut l'affaire d'un instant. Le blessé grimaça et ouvrit les yeux. Marc allait crier victoire mais il lut une telle souffrance dans le regard qu'il se contint.

«Vous avez très mal?»

Pour toute réponse, le blessé gémit.

«Vous avez des côtes cassées. C'est en abattant un arbre. Je vous ramène en ville dès que vous serez assez réchauffé. Compris? Pouvez-vous parler?»

Toujours sans répondre et sans cesser de gémir, le trappeur fit signe qu'il avait compris et referma les yeux comme si l'effort de les tenir ouverts le fatiguait trop. Marc vérifia à nouveau la température des pieds : ils étaient chauds. Les mains aussi d'ailleurs et le front brûlait.

«Il fait de la fièvre.»

Il s'avisa qu'ils étaient dans la cabane depuis près d'une heure. Maintenant que le blessé était réchauffé et ranimé, il ne pouvait plus rien pour lui ici. Il fallait partir.

Son plan était déja établi et il se hâta de l'exécuter. Il réunit toutes les peaux de castors disponibles, en glissa deux dans le fond du traîneau sous le blessé, referma soigneusement ses vêtements, lui remit ses bottes, ses mitaines et sa casquette. Il disposa les fourrures qui restaient par-dessus et attacha le tout comme un gros paquet solidement assujetti au traîneau. De son oncle, il ne voyait plus que les yeux. Il s'assura que rien n'entravait sa respiration, referma son propre parka, enfila ses mitaines et mit son capuchon. Puis il sortit faire le plein avant de revenir chercher le traîneau qu'il glissa jusqu'à la motoneige pour l'y accrocher. Il revint encore prendre quelques outils et éteindre le fanal. Après une dernière inspection du chargement, calmement, il fit démarrer la machine.

Les heures qui suivirent passèrent comme en songe. Maintenir une vitesse constante, ne pas aller trop lentement de peur de s'enliser, ni trop vite pour ne pas ballotter inutilement le blessé; suivre la piste balisée de branches de sapins sur le lac, ne pas s'en écarter; ne pas oublier de vérifier souvent le traîneau, mais rapidement pour ne pas perdre de temps; oublier l'heure, oublier la fatigue, ne penser qu'à la tâche à accomplir. Marc posait les gestes comme un automate, le corps et l'esprit tendus vers le but, la réserve, où il trouverait de l'aide.

Plusieurs fois, dans un creux où la neige s'était accumulée, il dut s'arrêter pour débourrer. Une fois, environ à mi-chemin, le moteur de la motoneige s'arrêta. Il songea avec effroi à ce qu'il ferait s'il ne parvenait pas à le faire repartir.

«Probablement rien qu'un peu de condensation dans la conduite d'essence.»

Le moteur repartit, eut quelques ratés qui trouvaient leur écho dans le cœur du jeune homme, puis se mit à tourner rondement. Quelle que soit la difficulté, si grand que soit l'obstacle, toujours il trouvait le moyen et la force de le surmonter. Derrière lui, le blessé se plaignait constamment mais, plus près du moteur, le conducteur ne l'entendait pas. La dernière fois qu'il descendit pour vérifier, il fut consterné : le blessé ne gémissait plus, il avait à nouveau sombré dans l'inconscience. Alors le jeune homme résolut de ne plus s'arrêter pour ne pas perdre de temps.

Combien de temps dura cette macabre course dans la nuit? Il n'aurait pu le dire. Plus tard, Jim l'assura qu'il avait frappé à sa porte à cinq heures dix le matin du 14 mars. Il était temps. Marc n'avait pas dormi ni mangé depuis plus de vingt heures. Seul, il avait fait face au pire drame de sa courte existence, avait côtoyé la mort et lui avait arraché un homme. Il avait parcouru cinquante kilomètres en pleine nuit sur une piste enneigée et par le pire temps imaginable. Il était à bout. Laissant aux autres le soin de conduire le blessé à l'hôpital, il s'étendit sur le lit que Jim venait de quitter et sombra dans un sommeil lourd et agité, peuplé d'arbres en chute, de corps inertes et de blizzards cinglants.

VIII

Deux jours plus tard, Marc reprenait seul le sentier du lac MacGregor. Son oncle avait trois côtes cassées, une fracture de la clavicule et diverses blessures internes aux poumons et à la trachée-artère. On l'avait gardé à l'hôpital où son état n'inspirait aucune crainte. Cependant, sa convalescence serait longue. La saison du piégeage était finie pour lui.

La première journée, Marc s'était reposé. La tête lourde, les muscles courbatus de l'immense effort qu'il avait fourni, les nerfs encore mal remis du choc, il n'avait pensé à rien. Mais dès le deuxième jour, la bougeotte l'avait repris. La merveilleuse faculté de récupération des jeunes avait vite redonné à ses muscles leur souplesse, à ses nerfs la détente et à son cœur le désir de passer à l'action.

Sa tante lui avait alors demandé s'il consentirait à retourner chercher les pièges et fermer le camp pour la saison. Elle avait allégué qu'il était le seul à pouvoir le faire puisqu'il était le seul à connaître l'emplacement des pièges.

«Je m'excuse de demander ça. Les pièges, ça vaut pas mal d'argent. Édouard en a besoin. Il gagne sa vie avec ça.»

Son mari lui revaudrait ça. S'il avait peur de partir seul, elle l'accompagnerait.

«J'ai pas beaucoup l'habitude aujourd'hui. Je suis pas

jeune comme dans le temps, mais je peux encore bouger. Si tu veux, je vais avec toi.»

Marc avait écouté la requête en silence. Mais avant même qu'elle soit formulée, sa décision était prise. Il partirait, non pas pour rapailler les pièges, mais pour terminer la saison de trappe.

«J'irai tout seul. Je me débrouillerai.»

D'une part, sa nature généreuse le poussait à remplacer son oncle, réduit à l'incapacité, comme soutien de la famille. D'autre part, ce serait là l'ultime étape de son acclimatation. Il le ferait justement parce qu'il avait peur de le faire, parce que jamais auparavant il ne s'était retrouvé seul pendant une aussi longue période, livré à ses propres ressources en pleine nature à cinquante kilomètres de tout être humain.

Il avait peur? Et alors? Toute sa rééducation n'avait-elle pas consisté à se débarrasser de ses peurs? Il ne se souvenait que trop bien d'avoir eu peur de ce monde nouveau, de ce pays hostile et même de ces gens si différents de ceux qu'il avait l'habitude de côtoyer. Le premier soir de son arrivée, il avait eu peur des chiens. Le lendemain, il avait hésité à monter dans le canot qui lui avait paru instable et, plus tard, seul l'orgueil l'avait empêché de demander à être raccompagné dans la nuit. Depuis, que de peurs il avait surmontées : peur de la violence des rapides, peur du manque de solidité de la glace, peur des loups qui hurlaient dans la nuit et, surtout, peur de la mort devant son oncle inanimé dans la neige. Toujours il avait vaincu ses peurs et toujours de la même façon : en se les avouant à lui-même et en les affrontant résolument.

Il n'avait pas demandé à venir dans ce pays ni à vivre cette vie que jamais, même dans ses rêves les plus fous, il n'aurait pu imaginer. C'étaient les circonstances et elles seules qui l'y avaient contraint. Mais puisqu'il était là, il en tirerait tout le parti possible sans se laisser paralyser par des craintes qui, en somme, n'existaient que dans sa tête et n'étaient peut-être que des vestiges d'une enfance trop protégée, un héritage d'un père trop mou et d'une mère trop nerveuse.

Il lui restait une peur à conquérir, celle de la solitude. Il l'affronterait et la vaincrait comme les autres. Le combat serait peut-être dur mais il était nécessaire pour le libérer d'un état de trop grande dépendance envers les autres.

Partagé entre l'enthousiasme et l'appréhension, Marc se mit donc en route sous un beau soleil de mars. Devant lui, la piste effacée par endroits lui racontait sa récente odyssée et le ramenait à celle qu'il entreprenait. Ce même soleil qui lui réchauffait le cœur ferait bientôt perdre au pelage des animaux son lustre, sa densité et, malheureusement, sa valeur. Encore trois, peut-être quatre semaines, et il faudrait lever les pièges. Quatre semaines en tête à tête avec Marc Bérard... Derrière lui, sur le traîneau, il emportait des provisions pour deux semaines. Ainsi, il ne ferait pas de voyages inutiles et irait jusqu'au bout de son expérience de la solitude.

Le trajet jusqu'au lac se passa sans incident notable. En plein jour et sans blessé à transporter, Marc eut plutôt l'impression d'une excursion agréable. Par contre, dès qu'il entreprit la tournée, il se rendit compte qu'il avait un problème d'un autre ordre : après l'abandon des derniers jours, les prises étaient tellement abondantes que jamais il n'arriverait à les dépouiller toutes avant l'aube du lendemain. De plus, les pistes pullulaient autour des cages qui contenaient une proie. Si les maraudeurs réussissaient rarement à s'emparer du gibier lui-même, par contre ils endommageaient souvent le treillis et parvenaient parfois à se sauver avec la cage et son contenu. Il se résigna donc à enlever quelques pièges. Il voulait bien travailler d'arrache-pied, mais s'il voulait bien faire son travail et durer jusqu'à la fin de la saison, il lui faudrait trouver le temps de dormir.

Le premier soir, il dépouilla jusqu'à ce que la fatigue l'oblige à se coucher.

«J'ai une grosse journée à faire demain.»

Il sourit en pensant que, décidément, il était le digne remplaçant de son oncle auquel cette phrase servait souvent de «bonne nuit». Dehors, les loups pouvaient toujours hurler et les arbres craquer sous les coups de boutoir du vent. Il n'en avait cure.

Les jours suivants ne furent plus qu'une longue succession de travaux exécutés avec le maximum d'efficacité, de repas minutieusement calculés et de sommeil réparateur. De plus en plus, les gestes nécessaires devenaient mécaniques. Tendre un piège, dégraisser une peau ou faire démarrer la motoneige, il l'avait fait tant de fois qu'il n'avait plus besoin d'y penser. Son esprit, libéré de la servitude du travail quotidien et livré à lui-même en l'absence de compagnie, s'évadait souvent dans une réflexion sur la nature et le sens de la vie, la sienne en particulier. La solitude, plutôt que de lui peser, le forçait à l'introspection. Il se découvrait alors humble mais confiant, courageux mais non téméraire et, somme toute, relativement heureux. Il lui semblait que, toute sa vie, il avait marché sur la corde raide entre ses peurs et ses espoirs et qu'il en était souvent tombé pour avoir accordé trop d'importance aux uns ou aux autres. Chaque fois qu'il avait su limiter ses espérances et confronter ses peurs jusqu'à ce qu'elles se dissipent comme son haleine dans l'air froid, il avait pu conserver l'équilibre et avancer avec confiance.

«C'est ça la vie, se disait-il. Prendre les problèmes un par un, ne pas trop exiger, toujours faire de son mieux.»

Il se sourit à lui-même en songeant qu'il avait rêvé de devenir annonceur à la télévision. Et voilà qu'il se retrouvait, les manches relevées, dans le sang jusqu'aux coudes. Par contre, il avait gagné cette immense contrée dont il percevait la valeur et l'harmonie. Il avait perdu une famille et en avait retrouvé une autre plus stable. Il avait sacrifié la vie trépidante de la ville, et la vie austère de la forêt lui avait redonné la paix. Il avait troqué le confort et le luxe contre la liberté.

Pourtant son enthousiasme était encore fortement entaché de naïveté. Il était loin de tout connaître de son nouveau milieu et son inexpérience pouvait lui jouer de mauvais tours. La grande nature, comme le feu, peut être source de réconfort et de paix, mais elle exige de ses usagers un respect de tous les instants.

Un soir qu'il revenait de sa tournée en passant par le lac, il aperçut des pistes plus loin, près de la berge. Il quitta donc la piste principale pour aller voir de plus près. C'étaient des traces d'orignal. Il s'arrêta un moment afin de vérifier si elles étaient fraîches. Puis il décida de repartir puisqu'il n'avait que faire d'un tel gibier et que ce n'était pas la saison. Mais il s'aperçut que quelque chose n'allait pas. Le moteur avait beau gronder, la chenille s'emballer, la machine ne bougeait pas.

«Bon, manquait rien que ça. De la *slush*.»

Il ne s'énerva pas outre mesure. Ce n'était pas la première fois que ça lui arrivait et ce ne serait certainement pas la dernière.

Vers la fin de l'hiver, la glace s'enfonce sous le poids de la neige accumulée et l'eau sourd de toutes les failles pour imbiber par en dessous la couche poudreuse. En surface, rien ne paraît. L'étendue blanche, plate et libre de tout obstacle, invite le motoneigiste à quitter les sentiers battus. Il s'y précipite à toute allure. Sa vitesse lui permet d'abord de flotter, mais tôt ou tard il ralentit, brise la surface de neige vierge et tombe dans le mélange d'eau et de neige. Se rendant compte de son erreur, il tente d'accélérer. La chenille s'enfonce, patine et la machine s'arrête. Le malheureux descend, se mouille les pieds, nettoie, tire, pousse, jure ou prie. Rien n'y fait. Il dispose d'environ vingt minutes pour s'en sortir. Car, exposé à l'air, l'infernal mélange gèle et cimente la machine comme une statue sur son socle. Le malheureux n'a plus qu'à rentrer à pied au rythme du gargouillis de l'eau dans ses bottes, jetant par-dessus son épaule un triste regard à sa machine immobile, ignominieux monument à sa stupidité.

Marc enleva la neige qui s'était accumulée à l'avant et nettoya la machine du mieux qu'il put. Il essaya à nouveau d'avancer. Rien ne bougeait. Il décrocha ensuite le traîneau pour se débarrasser de ce fardeau supplémentaire. Il pourrait toujours le ramener à pied, ce n'était pas si loin. Debout à côté de sa machine, une main sur l'accélérateur et l'autre agrippée au siège, il tenta de la pousser. Elle avança de vingt centimètres avant qu'il glisse, perde pied et tombe à genoux dans l'eau.

Il perdait patience mais ne s'avoua pas encore vaincu. Il déblaya à nouveau l'avant, souleva l'arrière pour y tasser de la neige sèche avec ses pieds et fit une ultime tentative. Peine perdue. La machine avançait de cinquante centimètres et s'embourbait de nouveau un peu plus profondément. L'eau giclait derrière elle et une écœurante odeur de caoutchouc brûlé s'en dégageait.

Il jugea plus prudent de ne pas s'entêter. Il risquait de prendre froid s'il restait trop longtemps dans ses vêtements trempés. Il rentrerait à pied. Il reviendrait au matin, au sec et en pleine clarté. Il s'attela au traîneau et rentra au camp en pataugeant dans la neige mouillée.

Le lendemain matin, il constata avec horreur que l'eau avait encore monté, c'est-à-dire que la glace s'était abaissée sous le poids de la motoneige. Le moteur était à demi inondé et, pour envenimer les choses, la neige battue tout autour de la machine et imbibée d'eau avait gelé dur. Il essaya de faire démarrer le moteur. S'il y parvenait, il pourrait toujours dégager la motoneige à coups de hache et la nettoyer. Il s'esquinta en vain. En examinant de plus près, il aperçut de la glace dans la conduite d'essence : l'eau avait pénétré dans le réservoir. Inutile d'insister, le moteur ne démarrerait pas tant qu'il n'aurait pas fait fondre la glace, vidé le réservoir et la conduite, nettoyé à fond le carburateur et la bougie et tout recommencé avec de l'essence pure.

Tant pis. Il abandonnerait tout ça sur place pour le moment et se servirait de la motoneige de son oncle, toujours stationnée au même endroit devant la cabane. Ainsi, il pourrait faire quand même sa tournée, quitte à prendre une journée de plus à la fin de la saison pour s'occuper de remettre l'Élan en état de marche.

Ce que Marc ne savait pas, c'est que le jour de l'accident, son oncle avait décidé de faire du bois de chauffage justement parce que sa motoneige était en panne. Le moteur démarrait bien mais s'arrêtait dès qu'il commençait à réchauffer et refusait de repartir avant d'être refroidi. C'était attribuable au condenseur qu'il faudrait remplacer. Marc ignorait ce détail. Le fonctionnement de cette machine lui était peu familier : il avait toujours utilisé l'autre qui, d'une mécanique beaucoup plus rudimentaire, ne possédait pas de condenseur. L'eût-il su qu'il n'aurait rien pu faire parce qu'il n'avait pas la pièce de rechange requise.

Il n'y comprit absolument rien. La machine fonctionnait une minute puis s'arrêtait en hoquetant comme si elle tombait en panne sèche. Un quart d'heure après, suffisamment refroidie, elle consentait à repartir... pour s'arrêter de nouveau au bout de cent mètres. Dix fois, Marc recommença le même manège. Il vérifia tout, le carburant, la bougie... Il conclut que le problème provenait de l'allumage, remplaça la bougie et obtint le même résultat avec la nouvelle. Il essaya à tout hasard de nettoyer la conduite d'essence et le carburateur. Par deux fois, il dut réparer la corde du démarreur qu'il cassait à force de la tirer.

Vers midi, il s'avoua vaincu et rentra dans la cabane pour réfléchir à la situation. Elle n'était pas très reluisante. Il aurait donné sa chemise pour que son oncle fût là. Sa mauvaise humeur du matin faisait place à une sourde angoisse qui lui serrait la poitrine.

Impossible de continuer à trapper à pied : il ne couvrirait pas le dixième du territoire. D'ailleurs, il n'avait plus le cœur au travail. La tentation lui vint de revenir à la maison. Cinquante kilomètres à pied. Douze heures de marche? Il croyait bien pouvoir le faire. Mais tout abandonner ainsi, les pièges tendus, les motoneiges en panne? Il pourrait demander de l'aide et revenir. Mais que de temps perdu! Et pendant ce temps, les fourrures se détérioraient dans les pièges que les renards éparpillaient aux quatre vents. Les lynx et les loups démolissaient le treillis des cages pour en extirper les victimes. Par-dessus tout, le goût amer de l'échec, de l'abandon prématuré.

«Je les laisse tomber.»

On comptait sur lui. Personne ne l'avait obligé à finir la saison. Il l'avait décidé lui-même, pour sa famille et pour Marc Bérard...

«Si j'abandonne avant la fin, c'est parce que je laisse ma peur gagner. Je peux pas faire ça.»

Il devait bien y avoir une autre solution.

Oui, il y en avait une : remettre une machine en marche. Celle de son oncle, pas question. Il n'avait aucune idée de ce qu'elle pouvait avoir et ses efforts n'avaient rien donné. L'autre, par contre, il savait exactement ce qu'il lui fallait : la sortir de son étau de glace et l'apporter à l'intérieur en utilisant le traîneau. Avec une deuxième machine, c'eût été relativement facile. Mais tirer à force de bras le traîneau ainsi chargé, il n'était pas sûr d'en être capable. Peut-être sur une piste de raquettes bien battue...

«De toute façon, je l'essaye. J'ai rien à perdre. Si je

réussis pas, je partirai à pied demain.»

Sa résolution prise, il passa sans tarder à l'action. Il chaussa ses raquettes, saisit la hache et un rouleau de corde et se dirigea résolument vers le lac, tirant le traîneau derrière lui. En vingt minutes, il avait réussi à casser la glace qui emprisonnait la machine. Mais quand il tenta de la soulever, il s'aperçut avec stupeur que la glace qui y adhérait encore doublait pratiquement son poids. Il lui faudrait un levier. Il regagna la berge, abattit un petit bouleau et revint. Il fut presque étonné de la facilité avec laquelle il réussit à soulever la motoneige sur la glace et à la mettre dans le traîneau. Tout joyeux de son succès, il s'y attela et tira de toute sa force. Il fit cinquante mètres et s'arrêta, à bout de souffle. Tout en reprenant haleine, il examina la machine. Elle était littéralement couverte de glace. Avec la hache, il se mit à cogner et à taillader.

«Si j'en ôte seulement vingt kilos, c'est toujours ça de gagné.»

En réalité, il parvint à en enlever beaucoup plus, du train arrière, du châssis, des skis, des marchepieds, du moteur, de partout. Puis il reprit le collier, le cœur aussi allégé que sa charge. Cette fois, il était certain de réussir. Enfin, presque certain...

La berge du lac montait vers la cabane en pente douce. Rien de très accentué, une toute petite pente. En tout, une dénivellation de trois mètres qu'en temps normal il remarquait à peine. C'était peu. Mais c'était peut-être trop pour ses forces. Tout en approchant de la berge, il échaffauda une tactique.

La pente, si faible fut-elle, était trop longue pour qu'il pût espérer la gravir d'un trait sans se reposer. Il ne pouvait non plus s'arrêter en chemin, sinon le traîneau glisserait vers le lac et il perdrait le terrain si durement gagné. Il attacha donc une longue corde au traîneau et vint enrouler l'autre extrémité autour d'un arbre. De cette façon, il hala le traîneau par étapes, se reposant à sa guise en gardant la tension d'une main, sans effort. Il avait gagné une autre manche.

Arrivé devant la porte, il fit face à un autre problème. Le traîneau passait dans l'embrasure, il le savait par expérience. Le châssis de la motoneige passait aussi mais l'empattement des skis était trop large. Qu'à cela ne tienne: il ne se laisserait pas rebuter pour si peu, il en enlèverait un.

Vingt minutes plus tard, la machine ainsi amputée commençait à suinter sa glace près de la fournaise ronflante. Marc en profita pour manger et refaire ses forces. Au dehors, la nuit était tombée et le vent gémissait dans les cimes. Mais le jeune homme avait retrouvé tout son calme. Il n'avait pas cédé devant la panique. Il avait fait ce qu'il fallait faire. Le plus dur était accompli. Le lendemain, il n'en doutait pas, il partirait à nouveau en tournée.

«Une journée perdue, c'est pas un drame. À part ça que c'est peut-être pas une journée perdue tant que ça...»

Il entrevoyait vaguement une autre récolte, plus précieuse que celle des fourrures et bien plus durable: le courage d'accepter les difficultés, première étape de leur résolution. Il commençait à penser que le véritable héroïsme n'est pas l'absence de peur mais la canalisation de la peur vers l'action.

Il passa la soirée à réparer les méfaits de l'eau sur la machine. Il enleva le réservoir et le vida, souffla dans la conduite d'essence, nettoya le carburateur et la bougie. Quand tout fut bien sec, il remit les pièces en place et fit le plein. Il versa quelques gouttes d'essence directement dans le carburateur et tira la corde. Le moteur fit mine de démarrer puis cala. Plusieurs fois, il recommença l'opération, surveillant dans le petit tuyau transparent la montée du carburant. Enfin, le moteur se mit à ronfler régulièrement. Dans la fumée bleutée qui envahissait le camp, il poussa un cri de joie. Il avait triomphé.

Il sortit la motoneige et le traîneau à l'extérieur, remit le ski en place en se gelant les doigts sur les écrous et s'offrit la plus merveilleuse randonnée à motoneige de sa vie, aussi bien pour clamer la joie de sa victoire que pour s'assurer que toutes les impuretés du carburant étaient passées.

Quand il rentra, le camp était en piteux état : la vaisselle sale traînait sur la table, des flaques d'eau souillaient le plancher, des taches d'huile voisinaient avec des guenilles sales au milieu des outils éparpillés, sans parler d'une écœurante odeur d'essence surimposée à celle des gaz d'échappement. Il était lui-même tout barbouillé. Il chercha de l'eau. Il n'y en n'avait plus. Pourtant, Marc se serait cru au paradis.

Il aéra le camp, fit le ménage et la vaisselle, rangea et refit la provision d'eau et de bois. Puis il se coucha, l'âme en paix. Une crampe le tint éveillé un long moment. Il songea qu'il avait un peu abusé de ses muscles et qu'ils protestaient. Mais cela passa et il s'endormit.

IX

Tante Rosa sortit sur le seuil de la porte dès qu'elle entendit le ronflement de la motoneige. Comme elle restait là sans parler, Marc s'attendit au pire.

«Comment va mon oncle?»

Elle fit un geste de dénégation.

«Il va bien... enfin pas mal. Mais il y a autre chose.»

Soulagé, il demanda avec détachement:

«Ah oui? Quoi donc?»

La réponse lui parvint, faible comme si elle ne voulait pas être entendue.

«Ton père est mort...»

Du coup, il demeura immobile, le souffle coupé. Puis il voulut tout savoir, quand c'était arrivé, comment, qui avait rapporté la nouvelle. Sa tante lui montra la lettre qu'ils avaient reçue. Son père était mort d'un infarctus et déjà enterré. Personne ne pouvait plus rien pour lui.

Marc était effondré. Il n'avait jamais été très près de son père et se reprochait maintenant de ne pas l'avoir tenu en très haute estime et de l'avoir abandonné à son sort. Ce qui le désolait, c'était plutôt un sentiment de culpabilité qu'une peine véritable devant la disparition de cet être si proche et pourtant si lointain qui avait vécu sa vie comme si elle eût été un mensonge auquel on devait faire semblant de croire. Sa tante le comprit.

«C'est mieux comme ça. Sa vie devait pas être trop plaisante. Ça, tu y pouvais rien.

— Je devrais y aller.

— Pourquoi? Il est enterré déjà. Ils se sont occupés de tout. Ils disent qu'ils vont envoyer ses affaires. Tu irais faire quoi?»

Elle avait raison, bien sûr, mais Marc, sous le choc de la nouvelle, cherchait encore un moyen de se donner meilleure conscience. Elle l'interrompit dès qu'il eut ouvert la bouche.

«Marc, le mieux que tu peux faire pour lui, c'est vivre ta vie.»

Comme il ne disait plus rien, elle crut bon de passer à un sujet moins pénible.

«Ton oncle est mieux. Les gardes-malades disent qu'il commence à leur faire du trouble.»

Elle rit, un peu trop bruyamment.

«C'est un dur.»

Elle secoua la tête, se remettant en mémoire quelque scène de leur vie passée. Puis elle jeta un coup d'œil vers Marc qui ne déridait pas.

«Tu me fais penser à lui. Vous autres, vous êtes faits pour passer à travers tout.»

Elle ne l'avait pas mentionné par son nom mais l'allusion était trop claire pour que Marc n'effectue pas le rapprochement avec son père. Il se dit qu'elle avait probablement raison, que même si le souvenir de son père venait encore le hanter pendant des mois à venir, il se devait à lui-même de le refouler, pour ne pas sombrer dans le remords, la crainte ou le fatalisme.

Un peu plus tard, pendant que Marc faisait honneur à une tarte aux framboises, sa tante lui dit :

«J'oubliais. J'ai des messages pour toi. Mona demande

des nouvelles de toi souvent...»

Elle sourit en voyant passer une lueur d'intérêt dans les yeux bruns.

«Elle demande d'aller la voir. Elle a quelque chose pour toi.»

Elle s'interrompit pour laisser au message le temps de se graver dans la mémoire de Marc et pour souligner l'importance qu'elle lui attachait. Elle reprit:

«Ton oncle dit de pas dépasser les premiers jours d'avril. Après ça, la fourrure vaut plus rien.

— Juste le temps d'une dernière tournée puis de ramasser les pièges alors?

— Oui. C'est pas tout. Pour rapporter sa motoneige, tu poses la chenille sur l'arrière de ton traîneau. Tu tournes les skis à l'envers. Ça s'emmène mieux. Et ça te laisse de la place pour le reste dans ton traîneau. Essaye pas de la faire marcher, le condenseur est brisé...

— Le quoi?

— Condenseur... c'est ça qu'il a dit.»

Marc éclata de rire. Sa tante le regardait sans comprendre. Il crut bon d'expliquer.

«Si j'avais su ça! Je me suis éreinté à tirer sur la corde.»

Un pli d'inquiétude barra le front cuivré.

«T'as pas eu de problèmes au moins?»

Il fit un geste vague de sa fourchette.

«Rien de grave.»

Le plus beau, c'est qu'il était sincère. Une fois résolue, sa mésaventure ne lui apparaissait plus que comme un incident banal, indigne d'être raconté. Rassurée, tante Rosa poursuivait déjà:

«T'as des projets pour après la trappe?»

Intrigué, il fit signe que non.

«Y'a des prospecteurs qui cherchent un guide, cuisinier... un homme à tout faire. Ils voulaient avoir Édouard. J'ai dit non. Pas après son accident.

— Où est-ce qu'ils veulent aller?

— Sur la Kabina, la Ridge, peut-être l'Albany. Dans le même coin où vous êtes allés à la chasse. Ils partent tout de suite après les glaces. J'ai promis que je t'en parle.»

Il hésitait, visiblement tenté. Pour faire pencher la balance, elle ajouta:

«Ton oncle irait, lui. C'est des gens qui payent bien. Aussi, le printemps, c'est la saison morte.

— Peut-être mais j'ai pas son expérience. Je sais pas si je saurais...»

Elle lui passa affectueusement la main dans les cheveux.

«Moi, ça m'inquiète pas. Après ce que t'as fait! Ton oncle a des cartes de la région. Puis là, au moins, tu seras pas tout seul.»

Elle calcula un moment.

«La glace va durer quatre, peut-être cinq semaines encore. Un bon congé. C'est assez. C'est pas bon rester à rien faire trop longtemps.»

Il sourit.

«Oui ma tante, vous pouvez leur dire de compter sur moi. Je ferai mon possible.»

Elle parut satisfaite.

«Je vais leur dire. En attendant, Jim peut t'emmener en ville vendre tes fourrures et faire tes provisions. Faudrait que tu penses à prendre tes licences. Ça serait pratique.

— Oui ma tante, je verrai à ça après la trappe.»

Il venait tout à coup d'avoir la nette impression que sa tante, sous des dehors un peu lourdauds, était l'organisatrice en chef des activités de son mari et qu'elle cherchait à étendre sa mainmise sur lui aussi.

Durant l'après-midi, il encaissa le premier chèque libellé à son nom, ouvrit un compte de banque et s'informa de la marche à suivre pour obtenir son permis de conduire. Puis, il fit ses emplettes et rendit visite à son oncle à l'hôpital avant de revenir à la réserve passer la soirée avec ses amis.

Jim et Éric l'accueillirent à bras ouverts, comme un des leurs. Mona, avec plus de réserve, mais il ne s'y méprit pas. Avant son départ, elle lui donna des bas de laine et un foulard qu'elle avait tricotés.

«Je sais pas pourquoi, Mona tricote comme une enragée de ce temps-là», dit Jim pour la taquiner.

Elle baissa les yeux, timide. Sa peau brune à elle ne rougissait pas, mais celle de Marc prit une teinte nettement plus colorée. Il balbutia un court «bonsoir» et s'en fut dans la nuit, le cœur léger.

Le lendemain midi, il reprenait la piste. Pour la première fois de la saison, il partait le dimanche afin d'être sur place dès le lundi matin. Il eut même le temps de lever quelques pièges, histoire d'occuper sa soirée à dépouiller. Il se servait du travail comme d'un antidote contre le souvenir de son père qui, dès qu'il refaisait surface, lui causait une douleur intolérable. Il s'obligeait alors à penser à autre chose, à l'expédition qu'il allait entreprendre au printemps, à son oncle blessé, à sa tante, à Jim et Éric et, surtout, à Mona.

C'était tout de même curieux : en arrivant dans le Nord, il l'avait à peine remarquée et voilà que, six mois plus tard, aidé en cela par l'intérêt manifeste qu'elle lui portait, il se surprenait à penser à elle de plus en plus souvent. Il aurait été le premier étonné d'apprendre qu'elle n'était pas étrangère à son goût nouvellement acquis de la forêt, du travail et du bénéfice. Aussi sûrement que, devant le plumage coloré de sa compagne, l'instinct pousse l'oiseau mâle à ramasser des brindilles pour faire un nid, le subconscient du jeune homme l'inclinait vers sa planche à dépouiller en lui présentant l'image de la jeune fille aux grands yeux brillants et aux longs cheveux noirs. Au fur et à mesure que cette image se clarifiait, elle estompait celle de son père comme les fondus enchaînés au cinéma. En lui, la vie refoulait la mort, la battait en brèche. Conscient de la force de sa jeunesse, il pouvait sans effort croire en elle. Il en venait à bénir sa solitude qui lui permettait d'échaffauder un avenir calqué sur le mode de vie de son oncle et où la jeune fille jouait un rôle encore mal défini mais de plus en plus essentiel à l'ensemble.

Les derniers jours de mars s'écoulèrent ainsi dans le labeur incessant des tournées suivies des longues séances d'écorchage. Le trappeur pouvait juger du déclin de l'hiver par le poil moins soyeux qui se détachait plus abondamment des fourrures. De plus, les journées s'allongeaient et les pistes, dures comme roc le matin, mollissaient en après-midi. Bientôt, elles commenceraient à défoncer sous son poids. Il était temps de ramasser les pièges. Une pointe de regret au cœur, il se mit à la tâche.

À plusieurs reprises, il dut entrouvrir son parka pour que la chaleur s'en échappe en une buée éphémère. Il n'était même plus désagréable de travailler les mains nues. En passant près de la ouache de l'ours, il constata que son occupant en était sorti. Le concert des pies, des corneilles et des écureuils l'accompagnait dans son périple. Après un dur hiver, les oiseaux chantaient leur joie de retrouver la chaleur du soleil. À l'extrémité des branches, l'eau si longtemps figée en neige et en glace commençait à goutter et à s'étirer en glaçons. Elle aussi reprenait vie.

Quand il eut terminé, Marc fut étonné de voir l'amas formidable que les pièges formaient. Jamais il ne pourrait tout emporter d'un seul coup, les cages, les pièges, les outils, le fourbi de cuisine, sans oublier la motoneige en panne. Par contre, s'il laissait les pièges dans la cabane, ils rouilleraient. Il songea à les enduire de graisse de castor fondue pour prévenir la rouille. Mais il écarta cette solution. Elle exigerait trop de travail et ne ferait qu'attirer les mulots et les souris à l'intérieur. Il en venait déjà bien assez.

Autant faire deux voyages. D'ailleurs, Jim ou Éric ne

refuserait pas de l'accompagner. Marc pourrait acheter un condenseur, réparer la deuxième motoneige et faire de cette corvée une partie de plaisir. Mais il fallait faire vite. On en était au 5 avril et déjà la neige trouait.

Il partit donc très tôt le matin pour arriver à la maison avant que le soleil n'atteigne la piste trop directement. Il ne tirait qu'une charge moyenne et constata à sa grande joie que la neige durcie offrait à sa machine une telle prise que rien ne l'arrêtait. Il eut donc tout le temps d'aller en ville vendre ses fourrures — il en obtint un prix dérisoire — et acheter le fameux condenseur. Il ne lui restait plus qu'à demander à ses jeunes amis si l'un d'eux pourrait l'accompagner.

Mise au courant, tante Rosa approuva le projet mais en le mettant en garde : à sa connaissance, Éric allait à l'école ce jour-là et Jim était absent pour toute la semaine.

«Vas-y toujours. Tu verras.»

Tante Rosa avait eu raison. Ni l'un ni l'autre des deux garçons n'était disponible. Mais ce qu'elle avait sans doute prévu — et Marc espéré — se produisit : Mona offrit spontanément ses services.

«J'ai pas grand'chose à faire à la maison. Tout le monde est parti.

— Tu sais conduire une motoneige?»

Elle le regarda d'un air moqueur.

«Demande plutôt aux poissons s'ils savent nager.»

Marc ne put qu'accepter en cachant sa joie de son mieux. Il n'avait posé la question que pour la forme : même si elle ne l'avait pas su, il lui aurait donné avec plaisir toutes les leçons voulues.

«Bon, alors je passerai te prendre à cinq heures demain matin.»

Quand il arriva, elle était prête mais insista pour qu'il prenne un bon déjeuner avant de partir. Il avait déjà avalé en vitesse un bol de céréales, mais il se sentit soudain plus d'appétit et ne refusa pas. Pendant qu'il mangeait ses œufs brouillés, elle enfilait un ensemble de motoneige à capuchon, des mitaines frangées et des mocassins ornés de peau de lièvre. Marc la suivait des yeux, admiratif et un peu honteux de ne pas faire le poids dans son vieux parka usé et taché.

Elle fit la première partie du trajet assise ou allongée dans le traîneau à fond plat. Cette façon de voyager n'est pas très confortable. Marc le savait bien. Aussi lui offrit-il de changer de place. Il parcourut ainsi cinq ou six kilomètres, ballotté sur les dunes de neige durcie. Puis, sous prétexte de lui indiquer la route à suivre — comment aurait-elle pu s'en écarter? — il la rejoignit sur la motoneige. Ils firent ainsi le reste du chemin, l'un devant et l'autre en croupe. Malgré leurs épais vêtements, Marc était très conscient de la proximité du jeune corps souple.

En arrivant au lac, il remarqua que des flaques d'eau se formaient un peu partout, flaques que le gel de la nuit transformerait en miroirs. Au camp, ils commencèrent par préparer le dîner dont Mona voulut à tout prix composer le menu. Ils prirent le temps de le savourer à loisir et de l'arroser copieusement de thé. Jamais Marc n'en avait autant bu. Elle posait des questions sur tout : le piégeage, les motoneiges, le camp, la topographie des alentours. Marc se découvrait une vocation de professeur en fournissant à la jeune fille des renseignements que son père ou ses frères auraient tout aussi bien pu lui donner.

Pendant qu'elle faisait la vaisselle et l'emballait en prévision du départ, il remplaça la pièce défectueuse de la motoneige — un jeu d'enfant auquel il réussit à consacrer plus d'une heure. Vers quatorze heures, ils auraient pu charger les traîneaux et repartir. Ni l'un ni l'autre n'en avait envie. Marc s'attardait, trouvait autre chose à faire. Mona faisait encore du thé. Avant d'éclater à force d'en boire pour retarder le départ, il déclara :

«Il fait trop chaud. Les machines vont défoncer la piste partout. Attendons le soir.»

Elle n'était pas dupe. C'était un prétexte et elle le savait bien. Mais elle joua le jeu comme il avait joué celui de manger ses œufs brouillés et de boire son thé.

Ils visitèrent les alentours sans crainte d'enfoncer. Marc montra l'endroit où son oncle avait eu l'accident. Une pile de bûches provenant des arbres abattus marquait le site comme un monument funéraire.

Il parla des améliorations qu'on pourrait apporter au camp, du véhicule tout terrain qu'il comptait acheter. Il mentionna l'expédition qu'il allait entreprendre au printemps et fit état de ses projets pour la saison de chasse. Si tout allait bien, il pourrait avant longtemps se mettre à son compte.

Mona buvait ses paroles. La conversation prenait exactement la tournure qu'elle souhaitait. Elle approuvait d'un signe de tête ou se faisait préciser un détail qu'il avait omis. Il fut surpris de la pertinence de ses questions : elle semblait connaître son métier aussi bien que lui et il n'était pas éloigné de croire qu'elle s'était renseignée exprès pour lui plaire. Pourtant, cela n'avait rien d'étonnant. La chasse, la trappe, c'était le métier de son père, de son frère et d'une bonne moitié de sa tribu. Plusieurs femmes s'y adonnaient et presque toutes en tiraient profit par la confection de mitaines, de mocassins, de raquettes ou de souvenirs destinés aux touristes.

Elle se laissa aller à parler. Avant d'aller à l'école, elle avait accompagné ses parents sur la ligne de trappe. À cette époque-là, les moyens étaient beaucoup plus rudimentaires. Elle avait passé des hivers entiers sous la tente et en était revenue au printemps en traîneau à chiens. Elle ne craindrait pas de le faire encore s'il le fallait. Marc ne releva pas l'offre implicite mais il s'en souviendrait en temps opportun.

Ils passèrent la soirée à bavarder à la lueur du fanal. Dehors, la température baissait mais il n'était plus question de partir. Mona se racontait avec simplicité, parlait de la réserve, de sa famille, des enfants qu'elle aimait bien. Marc glissa quelques mots sur ses parents et l'école. Il décrivit sa vie dans la grande ville et vit les yeux de la jeune fille s'assombrir quand il y mettait un peu trop d'enthousiasme. Elle avait appris le français à l'école et mit ses maigres connaissances à l'épreuve avec un accent à couper au couteau de chasse. Touché, Marc se promit de continuer son éducation.

Ils se couchèrent tard, Mona dans le sac de couchage de l'oncle Édouard, Marc dans le sien. De toute la soirée, il n'avait pas eu un geste qui puisse trahir l'envie qu'il avait d'elle. Il s'endormit, heureux comme un roi, en pensant que le temps viendrait, qu'elle était tout ce qu'il pouvait souhaiter et qu'il n'aurait servi à rien de brusquer les choses.

Au-dessus de la cabane, un plumet de fumée montait tout droit dans le calme de la nuit, s'effilochait en volutes et s'évanouissait dans la radiance des constellations. Vers le nord, comme une aube insolite et mouvante, les pâleurs légères et vaporeuses de l'aurore boréale ondoyaient sur la ligne d'horizon.

Marc Bérard était enfin chez lui.

FIN.

octobre 1991